포스트휴먼 시대를 달리는 자율주행자동차

– 입법전략

포스트휴먼사이언스 02

포스트휴먼 시대를 달리는 자율주행자동차

입법전략

한국포스트휴먼연구소 ·
한국포스트휴먼학회 편저

아카넷

《포스트휴먼사이언스 총서》 간행에 부쳐

인간이 한날 자연물인지 그 이상의 어떤 품격을 가지고 있는지에 대한 팽팽한 논란의 와중에 이 논란을 더욱더 격화시키고, 인간 위격(位格, humanism)의 근본을 뒤흔드는 상황을 빚은 것은 유사인종('posthomo sapiens')의 출현 가능성이다. 인간의 지능 못지않은 또는 그것을 능가하는 인공지능이 개발되고, 그에 힘입어 종래에 인간이 해냈던 일들을 척척, 경우에 따라서는 더욱더 효율적으로 해내는 로봇이 곳곳에서 활동하며, 인체에 대한 물리학적 · 생물학적 탐구가 진전해감에 따라 자연인과 얼핏 구별하기도 어렵고, 어느 면에서 훨씬 탁월한 사이보그가 활보하는 사회도 멀리 있지 않은 것 같다.

이러한 상황에서 인간의 수명 연장과 능력 증강에 대한 욕구가 과학기술을 부추기면 아마도 자연인으로 태어난 인간도 종국엔 모두 사이보그가 될 것이다. 심장은 기계펌프로 교체되며, 어떤 장기는 여느 동물의 것으로 대체되고, 부실한 한 쪽의 뇌는 인공지능이 대신할 가능성 또는 우려가 점점 커지고 있다. 의생명공학적 조작에 의해 다수의 동일인이 대체(代替)적으로 생을 이어갈 수도 있으며, 사람이 노화는 해도 노쇠는 하지 않아 더 이상 동물적 죽음은 없을 것이라는 전망마저 나오고 있다. 게다가 당초에는 인간에 의해 제작되고 조정을 받던 로봇이 정교화를 거듭하면 마침내는 스스로 로봇을 제작하고 스스로 조작하고 조정하여, 도리어 인간을 제압하고 자기 도구로 사용하는 국면마저 도래할지도 모를 일이다.

"지식이야말로 힘이다"라는 매력적인 표어는 과학적 지식이 전근대적인 삶의 고초들로부터 사람들을 해방시키고, 의식주의 필수품을 구하는 데 매인 사람들의 삶에 자유와 여가를 줌으로써 충분한 신뢰를 확보하였다. 그러나 힘인 지식은 '가치중립적'이라는 구실 아래 어느 주인에게나 순종한다. 힘인 지식은 타인을 지배하고, 자연을 개작하고, 세계를 정복하고, 수요가 있는 곳에서는 제한 없이 이용된다. 지식은 기술에든, 자본에든, 권력에든, 전쟁에든 가리지 않고 힘이 된다. 과학과 기술이 갈수록 인간생활의 중심을 이루는 것은 사람들이 자연과 인간을 완전히 지배하기 위해 자연과 인간을 이용하는 지식=힘을 과학과 기술에서 얻을 수 있다고 보기 때문이다. 과학기술의 진보는 실로 자연, 즉 대상(객체)들을 지배할 힘을 증대시켜간다. 그러나 그 결과는 자칫 인간의 인간다움을 위협하거나 훼손시킬 수도 있다.

산업적으로 군사적으로 그 유용성이 점차 확인되는 마당에서

로봇의 기능은 급속도로 향상될 것이며, 인간의 끝없는 생명 연장 욕구를 충족시키는 의료기술과 함께 생명공학은 진시황적 소망을 성취하기 위해 질주할 것이다. 그리고 이를 정당화하는 논리 또한 개발될 것이다. 이른바 '포스트휴머니즘(posthumanism)'은 자칫 그러한 궤도에 들어설 우려가 크다. 이러한 시대 상황에서 인간 위격의 고양을 위해 우리는 무엇을 할 것인가?

《포스트휴먼사이언스 총서》는 이러한 문제의식과 물음을 공유하는 사람들이 함께 해답을 찾는 도정에서 얻은 결실들을 담고 있으며, 이 총서의 간행은 〈한국포스트휴먼연구소〉 〈한국포스트휴먼학회〉와 '미래로!'라는 슬로건 아래 미래 사회를 전망하고 대비하는 〈대우재단〉의 협업에 의해 이루어진 것이다. 이 총서가 도래하는 포스트휴먼사회의 현실에 대한 인식을 확산시킴으로써, 휴먼과 포스트휴먼의 공존이 더욱더 휴머니즘의 진보를 이끄는 데 기여할 것을 기대한다.

2016년 11월 1일

《포스트휴먼사이언스 총서》 기획간행위원회

위원장 백 종 현

차례

서문

포스트휴먼 시대의 서막을 여는 자율주행자동차

최근 언론에는 소위 제4차 산업혁명 또는 지능정보사회, 그리고 인공지능 등에 관한 이야기가 빈번하게 등장한다. 그러나 아직까지 우리 주변에서 이렇다 할 혁신적인 변화를 마주하기는 어렵다. 이는 달리 말하여, 다양한 신기술들이 융합하고 이를 토대로 새로운 시대 변화가 예견되기는 하지만, 그것이 본격적인 양상으로 전개되고 있지는 않은 상황임을 알려준다. 따라서 현 시점에서 우리가 해야 할 일은 미래사회 변화에 대해 과도한 기대를 가지기보다는 변화의 맥락을 정확하게 파악하고, 단계적이고 전략적인 대응방안을 마련하는 일이다.

자율주행자동차는 포스트휴먼 시대를 향한 출발을 알리는 첫 실증사례가 될 가능성이 높다. 실제 현재 상황에서도 인공지능 등 포스트휴먼과 연계될 수 있는 기술들이 보이지 않게 활용되고 있지만, 자율주행자동차는 실생활 영역에서 광범위한 변화를 불러올 것으로 보인다. 그러한 변화는 공간적 이동방식과 같은 일상생활의 변화, 소유 및 책임과 같은 전통적 법관념의 변화, 그리고 더 나아가서는 다분히 사회 구조적 차원의 계층 질서의 혁신까지 연계될 가능성이 있다.

따라서 자율주행자동차 시대에 대비하기 위해서는 다양한 측면에서의 고찰이 선행되어야 한다. 그러나 현재의 국가 공동체적 담론은 자율주행자동차를 단순히 교통수단의 변화라는 수준에서 접근하고 있다. 자율주행자동차라는 기술적 혁신을 어떻게 사회적 혁신과 순조롭게 연계할 수 있는지를 고민하기보다는, 기술적 발전으로 인한 편의성에 집중하고 있는 양상이다. 같은 맥락에서 자율주행자동차의 도입을 둘러싼 법제도적 논의들 또한 기존 도로교통 관련 법제의 개선에 관한 논의만 이루어지고 있을 뿐이다. 물론 지금 당장 눈앞에 제기되는 문제들에 대한 고민과 대응이 필요한 것은 사실이지만, 단계적 · 체계적 관점에서의 대응전략 없이는 지속가능하고 온전한 기술발전의 편익을 누리기 힘들 것이라는 점도 기억해야 한다. 바로 이번 포스트휴먼사이언스 총서 제2권은 이러한 관점에 입각해 있다.

자율주행자동차와 포스트휴먼 시대

자율주행자동차 시대가 곧 포스트휴먼 시대를 의미하는 것은 아니다. 다만 자율주행자동차의 상용화는 포스트휴먼 시대의 변화와 혁신을 가늠하는 시금석으로서 기능할 것으로 보인다. 자율주행자동차가 기본적으로 자율적인 판단이 가능한 인공지능을 전제로 한다는 점에서, 자율주행자동차의 보편화는 종래 인간 중심적 사고와 제도가 어떻게 영향을 받고 또 변화하는지를 판단해 볼 수 있게 해줄 것이다. 즉 포스트휴먼 시대의 가능성과 의미를 확인시켜주는 계기가 될 것이다.

항상 혁신적 기술의 발전의 사회적 도입은 공동체 구성원들에게 상당한 기대감을 불러일으킨다. 그 결과 과도한 낙관적 전망이 사회적으로 빠르게 확산되곤 한다. 역으로 기술 발전에 지나치게 경도되어 도래할 미래사회에 대한 불필요한 위기감이 퍼지기도 한다. 그러나 현재 필요한 것은 과도한 기대와 전망이 아니라, 우리 공동체가 향후 기술적 발전을 어떠한 방향으로 사회적 · 경제적 · 문화적 혁신과 연계시킬 수 있을 것인가 하는 문제이다.

근대사회 형성 이후 시간과 공간적 제약은 인간 행위를 규율하는 주요한 수단으로서 기능했다. 자율주행자동차 기술은 이러한 시공간적 제약을 합리적인 수준에서 탈피할 수 있게 해 준다. 특히 자율주행자동차는 교통수단이기 때문에 공간의 문제와 연관성을 가지지만, 공간 이동의 자유로움은 전통적인 교통수단에 비해 시간적 한계도 상당 부분 극복하게 해 준다. 이 모든 것이 인간의 직접적인 개입 및 노력 없이 공간 이동이 이루어진다는 기술적 속성으로부터 기인한다.

결과적으로 근대적 규율체계의 근간이 변화되는 상황 속에서, 현재 우리가 살고 있는 공동체는 과연 어떻게 대응해야 하는 것인가 라는 의문은 이번 총서를 통관하는 근원적인 문제제기라고 할 수 있다. 그리고 이러한 의문은 향후 전개될 포스트휴먼 시대를 향한 여정에서 반복적으로 제기될 것이다.

자율주행자동차 시대의 준비

포스트휴먼 시대의 서막이라고 할 수 있는 자율주행자동차의 일상화 · 보편화에 대한 공동체적 대응은 결국 기술 상황적 변화를 어떻게 하면 자연스럽게 수용하고, 또한 어떻게 하면 이를 공동체 혁신과 접목시킬 것인지의 문제라고 할 수 있다. 일반적으로 특정 기술의 사회적 수용성을 제고하는 가장 기본적인 방법은 사회적 합의인데, 이는 궁극적으로 관련 법제도를 어떻게 변화시킬 것인지의 문제와 결부된다.

자율주행자동차 기술에 관한 사회적 합의를 도출하기 위해서는, 우선 교통수단의 발전이 가져온 사회적 영향을 고찰할 필요가 있다. 이와 더불어, 자율주행자동차 기술 자체의 속성도 이해해야 한다. 이를 전제로 본격적으로 자율주행자동차 기술의 법제도적 수용을 위한 논의를 전개할 필요가 있다. 다만 현 시점에서 자율주행자동차의 기술적 발전방향을 명확하게 가늠하기 어렵다는 점이 문제시 된다. 그렇다고 하여 아무런 준비를 하지 않을 수 없다. 과거 교통수단의 변화가 야기한 일상생활의 변화를 고려해 본다면, 자율주행자동차의 상용화는 우리의 일상생활을 전면적으로 변경시킬 가능성이 높다는 점은 분명해 보이기 때문이다.

장기적으로 자율주행자동차의 도입은 과거 운수사업 영역 종사자들의 일자리를 빼앗아 갈 가능성이 있는 반면, 새로운 일자리와 사업 영역을 창출할 수도 있다. 또한 지금처럼 개인이 자동차를 소유하는 것이 아니라 자율주행차를 공동으로 활용하는 공유경제 모델의 탄생도 가능할 것으로 보인다. 결과적으로 자율주행자동차의 상용화는 고용 및 사회구조 전반에 영향을 미칠 것으로 예상되는데, 이로 인한 변화를 법제도가 효과적으로 뒷받침해 주지 못한다면, 영역별 이해관계자들 간의 충돌로 새로운 러다이트 운동의 시대가 도래할 수도 있다.

또한 법적 차원에서 개인(자연인)을 중심으로 한 민·형사 책임법제도 상당 부분 바뀔 가능성이 높다. 일반적인 자동차 운행으로 인해 발생하는 다양한 사고 및 위험에 관해서는 그 원인을 제공한 운전자에게 책임을 묻는 것이 당연하다. 그러나 자율주행자동차 운행이 상정하고 있는 바와 같이 인간이 개입하지 않는 상황에서 발생한 사고에 관한 책임을 과연 누구에게 부과할 것인지는 쉽게 판단할 수 있는 문제가 아니다. 자동차 및 자율주행 소프트웨어 제조사에 책임을 물을 것인지, 네트워크를 통해 주행정보를 제공한 자에게 책임을 물을 것인지, 자율주행자동차의 학습에 일조한 이용자에게 책임을 물을 것인지 등 다양한 법적 주장이 제기될 가능성이 높다. 다만 분명한 것은 전통적인 책임법리는 상당한 진통을 겪게 될 것이라는 점이다.

일반적으로 법제도는 사안이 구체화된 이후에 그에 대응하기 위해 형성되는 경향이 있다. 이는 다소 고정적인 법규범이 가지는 기본적인 속성상 불가피하다. 결국 자율주행자동차의 기술적 발전 방향이 명확하지 않은 상황에서 법제도적 대응방안을 모색하는 데에는 한계가 있다. 따라서 자율주행자동차 기술의 도입과 활용에 대해 면밀하게 추적하여 가장 효과적인 대응방안을 매우 치밀하게 준비해 나가야 한다. 이러한 대응은 결코 일회성에 그치는 것이 아니라, 자율주행자동차 기술의 발전과 변화에 따라 지속성을 가지고 이루어져야 하는 작업이다.

이 책의 구성

포스트휴먼사이언스 총서 제2권은 제1권『포스트휴먼 시대의 휴먼』에서와 마찬가지로, 인문학자, 공학자, 그리고 법학자 등의 협업을 통해 저술되었다. 이는 자율주행자동차 문제가 특정 영역만의 논제라고 치부할 수 없는 학제적 성격을 가진다는 점을 보여준다.

제1부에서는 "자율주행자동차 시대의 도래"를 제목으로 하여 자율주행자동차의 의미를 검토해 볼 수 있는 내용으로 구성하였다. 제2부에서는 "자율주행자동차 시대의 법 제도"라는 제목으로 자율주행자동차를 제도적으로 수용하기 위해서 논해져야 하는 법제적 쟁점을 다루었다.

1부 1장 「자동차의 일생에 관한 역사와 쟁점」에서 송성수 교수는 자동차 기술의 발전의 역사를 되돌아보면서, 그 과정에서 발생한 사회 전반의 영향에 대해 찬찬히 고찰하고 있다. 이 글을 통해 독자들은 자동차를 단순히 교통수단이 아닌, 역사적 · 문화적 실체로서 인지하게 될 뿐만 아니라, 향후 자율주행자동차가 사회 전반에 미칠 영향력을 충분히 미루어 짐작할 수 있게 될 것이다.

2장 「자율주행자동차의 기술적 구성 요소」에서 김정하 교수는 자율주행자동차 시대가 가능하게 된 기술적 요소들에 대해 기술하고 있다. 관심이 고조되고 있는 자율주행자동차 기술은 매우 복잡한 기술 요인들이 융합된 결과물이라고 할 수 있는데, 이 글에서는 현재 논해지고 있는 자율주행자동차 핵심 기술이 무엇인지를 알기 쉽게 설명한다. 따라서 이 글을 통해 자율주행자동차의 핵심 기술 요인들에 대한 이해를 도모할 수 있을 것이며, 또한 자율주행자동차 시대가 결코 먼 미래가 아니라는 점을 재인식할 수 있을 것이다.

2부 3장 「자율주행자동차 입법안의 실험적 구성과 실무적 쟁점」이라는 제목의 글에서 김경환 변호사와 심우민 박사는 자율주행자동차의 상용화 과정에서 제기될 수 있는 입법 쟁점들을 상정하고 실험적으로 법률안을 구성하는 방식으로 논의를 전개하고 있다. 자율주행자동차 관련 입법은 다양한 형식을 취할 수 있을 것이지만, 이 글은 단일법 제정을 상정하여 쟁점들을 소개하고 있다. 아직까지 자율주행자동차 관련 입법이 구체화되지 않은 상황에서, 독자들은 관련 입법에 대한 현실적인 이해를 구할 수 있을 것이다.

4장 「자율주행자동차 운행에 따른 형사법적 쟁점」이라는 글을 통해 강태경 박사는 자율주행자동차 운행에 따른 책임 문제에 있어 가장 난해하다고 할 수 있는 형사법적 쟁점에 대해 체계적인 분석을 시도하고 있다. 특히 자율주행자동차의 발전 단계를 상정하여 현행법 및 법리적 쟁점들을 다루고 있다. 이 글의 저자가 밝히고 있는 바와 같이, 자율주행자동차 자체가 유용성을 가지는 것은 분명하지만, 또한 상당한 위험성을 가지는 만큼 형사정책적 대응은 매우 긴요하다고 할 수 있다.

5장 「자율주행자동차 입법 로드맵」에서 심우민 박사는 자율주행자동차 시대의 도래에 대비한 입법전략을 소개하고 있다. 이 글은 자율주행자동차의 상용화에 대비한 단기적 대응방안 모색, 그리고 그 전제로서의 중장기적 입법 관점을 정립할 필요성을 제기하면서, 그 실현 방안으로 입법 로드맵 구성전략과 이와 연계된 다양한 쟁점들을 소개하고 있다. 또한 이 글은 단순히 도로교통 및 자동차 관련 법제들의 개선만을 언급한 것이 아니라, 사회 구조적인 변화에 조응하기 위한 다양한 입법방향을 제언하고 있다는 특징이 있다.

이상의 내용에서 파악할 수 있는 바와 같이, 이 책은 자율주행자동차 시대로의 전환을 위한 다양한 관점 및 쟁점들을 고찰해 볼 수 있는 내용을 담고 있다. 특히 자율주행자동차 시대가 포스트휴먼 시대의 서막을 알린다는 점에서 보자면, 이 책에서의 논의 내용들은 향후 지속적으로 제기될 쟁점들을 포함하고 있다.

물론 이 책에서 자율주행자동차와 관련한 모든 쟁점들을 다루지는 않는다. 다만 포스트휴먼 시대와 자율주행자동차에 대한 독자들의 이해를 도모하고자 한다. 기술 혁신은 앞으로 더욱 적극적으로 이뤄질 것이다. 이에 대응하기 위한 사회적 담론을 구성할 필요가 있다. 이 책은 그에 필요한 논제들을 제언한다는 의미를 가진다. 향후 포스트휴먼 시대 수용 담론에 관한 독자들의 관심과 참여를 부탁드린다.

이 책을 구성 및 출간하는 과정이 그리 순탄하지만은 않았음에도 불구하고, 옥고를 흔쾌히 제공해 주시고 면밀한 구성까지 해주신 저자들, 그리고 노심초사 애써주신 양정우 과장께 깊은 감사를 드린다.

2017년 7월

대표저자 심우민

1부

자율주행자동차 시대의 도래

1장

자동차의 일생에 관한 역사와 쟁점

송성수

볼티(Rudi Volti)는 2006년에 발간한 『자동차와 문화(*Car and Culture*)』에서 자동차의 의미를 다음과 같이 평가했다. "자동차는 현대 기술이 만들어낸 어떤 상품보다도 우리의 물리적 환경과 사회적 관계, 그리고 경제와 문화의 형성에 큰 영향을 미쳤다."[1]

자동차는 기술의 총아이자 경제의 꽃이라 할 수 있다. 한 대의 자동차를 만들기 위해서는 다양한 종류의 소재와 2만 개가 넘는 부품이 필요하다. 자동차산업이 발전하려면 철강, 기계, 전기전자, 석유화학 등을 포함한 다양한 분야가 뒷받침되어야 한다. 자동차 수출국으로 진입할 때 비로소 그 나라의 공산품이 품질을 인정받게 되는 이유도 여기에 있다.

자동차는 한 시대의 문화를 읽는 코드가 되기도 한다. 자동차가 널리 보급되면서 여행을 하거나 쇼핑을 하면서 여가를 보내는 일이 급속히 증가했다. 자동차에 각종 첨단장비를 설치하여 정보를 수집하거나 오락을 즐기는 것도 흔한 일이 되었다. 자동차 없이는 여가활동이 어려워질 뿐만 아니라 자동차 자체가 일종의 문화공간이 된 것이다.

이와 함께 자동차는 수많은 사회문제를 유발하는 매개물로 작용하고 있다. 언제부턴가 교통정체나 교통사고는 하루의 뉴스를 장식하는 단골메뉴가 되었다. 자동차 배기가스로 인한 환경오염은 날이 갈수록 심해지고 있다. 석유 가격이 요동칠 때마다 자동차 운전자들은 가슴을 졸인다. 어떤 때에는 자동차가 인간의 통제를 벗어난 것처럼 느껴지기도 한다.

오늘날 많은 사람들은 자동차가 꼭 필요하다고 생각하는데, 사실상 자동차의 역사는 150년이 채 되지 않았다. 20세기가 시작될 무렵만 해도 자동차는 부유층의 장난감에 불과했던 것이다. 앞서 언급한 자동차의 역할이나 문제를 예견한 사람은 아무도 없었다. 그렇다면 자동차는 어떤 역사적 과정을 거쳐 오늘날과 같은 모습을 드러내게 되었는가?

이 글에서는 기술도 생명체처럼 '일생(life)'을 가진다는 시각을 바탕으로 자동차의 출현, 선택, 확산, 이용, 영향 등에 대한 논점을 검토하고자 한다. 자동차의 일생에 관한 역사를 서술하면서 중요하게 고려하고자 하는 질문은 다음과 같다. 자동차는 어떤 맥락에서 언제 등장했는가? 가솔린자동차가 지배적 설계(dominant design)가 된 이유는 무엇인가? 자동차의 생산방식은 어떤 계기를 통해 변화해 왔는가? 자동차 도로망은 어떻게 확충되었고 어떤 결과를 유발했는가? 자동차 시스템을 매개로 생겨난 사회적 문제는 무엇인가?[2]

1. 가스기관에서 가솔린기관으로

자동차(自動車, automobile)라는 용어는 1897년에 처음 등장했다고 한다.[3] 자동차는 '스스로'를 뜻하는 그리스어인 아우토스(autós)와 '움직일 수 있는'을 뜻하는 라틴어인 모빌리스(mobilis)의 합성어이다. 자동차를 글자 그대로 풀이하면, 스스로 움직일 수 있는 차량이 되는 것이다. 자동차가 스스로 움직인다는 것은 차체 내부에서 동력이 발생하기 때문인데, 이러한 역할을 담당하는 엔진이 바로 내연기관(內燃機關, internal combustion engine)이다. 사실상 차량의 역사는 매우 오래되었지만, 자동차의 역사는 내연기관과 함께 시작되었다고 볼 수 있다.[1)]

1) 내연기관에 대한 도전

역사상 최초의 내연기관으로는 벨기에 출신의 프랑스 기술자인 르누아르(Étienne Lenoir)가 개발한 가스기관이 꼽힌다. 그는

1) 자동차의 어원을 미국 문화와 연결시켜 해석하는 경우도 있다. "미국인은 세계 어느 나라 국민들보다 자유를 '자율(autonomy)'과 '이동성(mobility)'의 개념으로 파악해 왔으며, 이는 곧 '자동차(auto+mobile)'를 의미하는 것이었다." 강준만, 『자동차와 민주주의: 자동차는 어떻게 미국과 세계를 움직이는가』(인물과 사상사, 2012), 7쪽.

1860년에 가스기관에 대한 아이디어로 특허를 취득한 후 실제로 엔진을 만들었다. 그것은 석탄가스와 공기의 혼합기체가 전기 불꽃에 의해 점화되면 폭발하면서 동력을 내는 메커니즘을 가지고 있었다. 그러나 르누아르 엔진은 구조가 복잡하고 연료 소모가 많아 상업적으로 성공하지 못했다. 르누아르 엔진은 약 500개가 제작된 후 새로운 내연기관이 등장하자 자취를 감추었다.

최초로 상업적 성공을 거둔 내연기관은 독일의 기술자 오토(Nikolaus Otto)가 개발했다. 그는 1864년에 랑겐(Eugen Langen)과 함께 엔진 공장을 설립한 후 르누아르 엔진을 개량하는 과정에서 흡입(흡기), 압축, 폭발(연소), 배기로 이루어진 4행정 이론을 정립하였다. 오토는 1867년에 4행정으로 이루어진 가스 엔진을 파리 박람회에 출품하여 상당한 주목을 받았다. 그는 끈질긴 연구를 통해 1876년에 '오토 사이클 엔진' 혹은 '오토 엔진'으로 불린 실용적인 가스 엔진을 제작한 후 이듬해에 특허를 받았다. 1890년까지 오토 엔진은 약 3만 개가 팔려나갈 정도로 큰 성공을 거두었다.[2)]

당시의 기술자들이 증기기관과 내연기관의 사회적 기반을 대비시켰다는 점도 흥미롭다. 증기기관은 돈 많은 자본가의 전유물인 반면 내연기관은 소규모 장인이나 수공업자에게 필요한 값싼 동력원이라는 것이었다. 예를 들어 독일 기계공학의 기초를 닦은

---

2) 이에 앞서 보 드 로샤(Beau de Rochas)라는 프랑스 기술자가 1862년에 4행정의 원리에 관한 특허를 신청했지만, 후속 작업을 하지 않는 바람에 2년 후에 무효가 되고 말았다. 베른트 슈, 이온화 옮김, 『클라시커 50: 발명』(해냄, 2004), 153쪽.

뢸로(Franz Reuleaux)는 1875년에 발간한 『이론운동학(*Theoretische Kinematik*)』에서 다음과 같이 썼다. "크고 육중한 증기기관이 자본에게 제공하고 있는 것처럼 소규모 장인에게 저렴한 가격으로 기본 동력을 제공하자. 그러면 우리는 이 중요한 사회계급을 유지할 수 있을 것이다. 그들이 버티고 있는 곳에서는 그들을 더욱 강하게 하고, 이미 사라져가고 있는 곳에서는 그들을 다시 일으켜 세운다."[4]

2) 가솔린기관의 등장

가스기관에 이어 등장한 내연기관은 가솔린기관이었다. 가솔린은 석탄가스보다 무게가 가볍고 저장하기 쉬웠으며, 가솔린기관은 매우 빠른 속도로 작동할 수 있었다. 가솔린기관을 처음 개발한 사람으로는 독일의 기술자인 다임러(Gottlieb Daimler)가 꼽힌다. 그는 1872~1882년에 오토의 회사에 근무한 후 슈투트가르트 근처에 자신의 공장을 차렸다. 그 후 다임러는 마이바흐(Wilhelm Maybach)와 함께 가솔린을 연료로 사용하는 내연기관을 개발하는 데 주력했다. 다임러는 1883년에 실제 작동이 가능한 가솔린기관을 제작했는데, 오토 엔진이 1분당 회전수가 150~180회였던 반면 다임러의 엔진은 1분에 900회였다. 다임러는 1885년에 타는 차(riding car)라는 뜻을 가진 '라이트바겐(Reitwagen)'을 선보였으며, 그것은 두 바퀴를 가진 자동차로 오늘날의 오토바이에 해당한다.[5]

다임러와 비슷한 시기에 가솔린기관에 주목한 사람은 벤츠

(Karl Benz)였다. 벤츠는 처음에 2행정 가스기관을 만들었지만 1883년에 자동차 회사를 설립한 것을 계기로 4행정 가솔린기관에 도전했다. 그로부터 2년 뒤인 1885년에 벤츠는 자신이 제작한 가솔린기관으로 자동차를 개발하는 데 성공했다. 그의 첫 자동차는 바퀴가 세 개 달린 삼륜차(三輪車)였는데, 그것은 벤츠가 당시에 유행하던 세발자전거(tricycle)를 바탕으로 자동차를 개발했기 때문으로 보인다. 벤츠는 1886년 1월 29일에 이 자동차로 특허를 받았다. 독일 정부의 공식특허 37,435번이었다. 특허명은 벤츠(Benz)가 특허(Patent)를 받은 모터(Motor) 달린 차(Wagen)라는 뜻의 '벤츠 파텐트 모토바겐 1호'였다. 이 특허는 오늘날 자동차의 출생증명서로 간주된다.[6]

1886년은 기술의 역사에서 '자동차 빅뱅'의 해로 여기진다. 그해에 벤츠는 세 바퀴 자동차로 특허를 받았고, 다임러는 네 바퀴 자동차를 개발했기 때문이다. 다임러는 마차를 구입한 후 자신이 제작한 가솔린기관을 장착해 네 바퀴 자동차를 완성했다. 기술적 측면에서는 다임러의 자동차가 벤츠의 자동차보다 훨씬 우수했다. 사실상 벤츠가 삼륜차를 내놓은 이유는 그의 엔진으로 네 바퀴를 작동시키기에는 동력이 부족했기 때문이었다. 속도에서도 다임러가 앞섰다. 벤츠의 자동차는 시간당 13km의 속도를 보였던 반면, 다임러의 자동차는 시속 19km를 달릴 수 있었다. 그러나 특허를 먼저 받은 사람은 벤츠이기 때문에 '가솔린자동차의 아버지'라는 명예는 벤츠에게 돌아갔다.[3)]

〈그림 1-1〉 벤츠의 첫 자동차인 모토바겐 1호(1885년)

자료: 위키피디아

3) 자동차의 프랑스 시대

벤츠는 자신의 자동차를 지속적으로 개량했지만 사람들의 관심을 끌지 못했다. 그러자 아내인 베르타(Bertha Ringer Benz)가 나

---

3) 벤츠와 다임러는 독립적으로 가솔린자동차를 개발했으며, 두 사람이 개인적으로 만난 적은 없었다고 한다. 벤츠의 회사는 1926년에 다임러의 회사와 합병되어 다임러-벤츠사가 되었다. 그때부터 다임러-벤츠사는 오늘날에도 유명한 차종인 메르세데스벤츠(Mercedes-Benz)를 생산하기 시작했는데, 메르세데스는 다임러의 사업 파트너인 옐리네크(Emil Jelinek)의 딸 이름이었다. 다임러-벤츠사는 1998년에 미국의 크라이슬러(Chrysler)와 합병되어 다임러크라이슬러가 되었고, 다임러크라이슬러는 2007년에 다시 다임러 AG와 크라이슬러로 분리되었다.

섰다. 그녀는 1888년 8월에 두 아들과 함께 모토바겐 3호를 타고 만하임에서 포르츠하임으로 갔다. 104km에 달하는 먼 거리인데다 연료와 부품이 충분하지 않아 베르타는 숱한 위기를 극복해야 했다. 베르타는 3일 동안 포르츠하임의 친정에서 머문 후 다시 만하임으로 돌아왔다. 이번에는 라인 강 주변을 지나는 90km 길이의 지름길을 택했다.[4] 베르타의 여행은 자동차를 이용한 세계 최초의 장거리 여행으로 평가되고 있다. 흥미로운 점은 베르타의 여행에 대해 당시 독일의 여론이 별로 주목하지 않았다는 사실이다.

자동차는 독일에서 처음 개발되었지만, 본격적인 시장이 열린 곳은 프랑스였다. 처음에 독일의 발명가들은 자동차 시장을 별로 중요하게 생각하지 않았다. 그들은 자신의 발명품을 운송기계에서 이루어낸 신기술로 이해했을 뿐 당시 이동 문화의 맥락 안에 잠재되어 있던 고객층의 욕구와 연결시키지 못했다. 이에 반해 프랑스에서는 파리 중심부에 자동차가 전시되고 자동차 선발대회가 개최되는 등 자동차 홍보가 적극적으로 이루어졌다. 1895년에는 파리와 보르도를 왕복하는 자동차 경주대회가 성황리에 개최되었으며, 이를 계기로 프랑스 자동차 클럽(Automobile Club of France)이 결성되기에 이르렀다. 이어 1896년에는 세계 최초의 자동차잡지인 《프랑스 자동차(La France Automobile)》가 발간되었고, 1900년에는 프랑스 자동차 클럽의 주최로 최초의 국제 자동차 경주대

---

4) 이 길에는 2008년에 '베르타 벤츠 메모리얼 루트(Berta Benz Memorial Route)'라는 이름이 붙여졌고, 그 후 격년마다 베르타를 기념하는 퍼레이드가 개최되고 있다.

회가 개최되었다.[7]

푸조와 르노를 포함한 프랑스의 자동차업계가 사업을 전개하는 방식은 다음과 같았다. 처음에는 독일산 자동차를 수입해서 판매했다. 그 다음에는 라이선스를 얻어 직접 생산에 나섰다. 마지막에는 제품을 개선하여 자신들의 자동차 모델을 출시했다. 프랑스의 새로운 모델이 라이선스를 통해 독일에서 생산되는 경우도 있었다. 이러한 방식을 활용하여 프랑스는 제1차 세계대전이 발발했던 1914년까지 세계에서 가장 자동차를 많이 생산하는 국가로 부상했다. 뫼저(Kurt Möser)는 2002년에 발간한 『자동차의 역사(*Geschichte des Autos*)』에서 독일과 프랑스의 차이를 다음과 같이 평가했다. "독일의 선구자들은 보수적인 발명을 했을 뿐이다. 기존 시스템에 맞게 차량을 변화시켰던 것이다. 프랑스의 경우에는 자동차를 개발하는 것은 물론 시장을 개척했으며, 더 나아가 자동차에 새로운 문화적 의미를 부여했다. 이로써 비로소 자동차의 급진적 발명이 이루어졌던 것이다."[5)] [8]

5) 이와 관련하여 대부분의 사람들은 1886년을 자동차가 탄생한 해로 보고 있지만, 몇몇 프랑스 연구자들은 1895년을 자동차의 역사가 시작된 해로 간주하기도 한다. 마르티나 헤슬러, 이덕임 옮김, 『기술의 문화사』(생각의 나무, 2013), 123쪽.

2. 삼파전을 평정한 가솔린자동차

20세기 초만 하더라도 가솔린자동차가 다른 경쟁 상대를 능가할 것이라고 장담할 수 있는 사람은 거의 없었다. 미국의 경우를 살펴보면, 1900년에 4,192대의 자동차가 생산되었는데, 그중에서 1,681대는 증기자동차였고, 1,575대는 전기자동차였으며, 나머지 936대만이 가솔린자동차였다. 증기자동차가 40.1%, 전기자동차가 37.6%를 차지했던 반면, 가솔린자동차는 22.3%에 불과했던 것이다.[9] 이러한 사정은 유럽에서도 마찬가지였다. 예를 들어, 1905년 독일에서 발간된 『최신 발명품에 관한 책(*Das Buch der Neuesten Erfindungen*)』은 "증기자동차와 전기자동차 중에서 어느 쪽이 승리할지는 아직 의문"이라고 평가하였다.[10]

1) 일장일단을 가진 세 종류의 자동차[11]

20세기 초까지 가장 열렬한 사랑을 받았던 것은 증기자동차였다. 당시의 증기기관은 이전의 것과는 달리 크기가 작아졌고, 출력도 향상되었으며, 강철 부속으로 정밀하게 제작되었다. 증기자동차는 구입비와 유지비가 매우 낮았으며, 엔진이 강력하여 어떤 도로 조건에서도 운행이 가능했다. 특히 스탠리 증기자동차는 1899년에 워싱턴 산의 정상에 오른 최초의 자동차가 되었으며, 1906년에는 플로리다 자동차 경주에서 시속 205km라는 대단한 속도를 선보였다.

〈그림 1-2〉 20세기 초에 최고 속도를 자랑했던 유선형 증기자동차인 스탠리 스티머(Stanley Steamer)

자료: 위키피디아

그러나 증기자동차에도 몇몇 약점이 있었다. 증기자동차는 보일러, 증기기관, 연료, 물 등으로 이루어져 있어 매우 무거운 기계였다. 또한 증기가 대기로 증발하면 다시 사용할 수 없기 때문에 30마일마다 증기자동차에 물을 다시 공급해야 했다. 더욱 심각한 문제는 시동을 걸기 위해서 증기를 발생시키는 데 약 30분 정도의 시간이 소요된다는 점이었다. 비록 보일러가 지속적으로 개량되어 증기 발생 시간이 점점 단축되긴 했지만 문제가 완전히 해결되지는 않았다.

전기자동차는 소음과 냄새가 없었으며, 매우 안락하고 깨끗하였다. 더구나 전기자동차는 매우 간단한 구조를 가지고 있어 운전이 편리하고 유지와 정비가 쉬웠다. 이와 함께 전기가 가진 현대적 이미지 덕분에 전기자동차는 대중의 기대에 있어 최우선 순위를 차지했다. 그러나 전기자동차는 속도가 느렸으며, 경사가 가파른 언덕을 오를 수 없었고, 구입비와 운행비가 만만치 않았다. 가장 치명적인 약점은 충전의 문제였다. 납과 산으로 이루어진 무거운 배터리는 약 30마일마다 다시 충전되어야 했던 것이다. 이에 따라 전기자동차는 장거리 운행에 적합하지 않았고, 주로 대도시 지역의 백화점이나 세탁소가 배달 서비스를 위해 사용하였다.

초기의 가솔린자동차는 한마디로 '불편한' 기계였다. 가솔린자동차는 속도조절장치, 냉각장치, 밸브장치, 기화장치 등이 복잡하게 연결되어 있어 고장이 빈번히 발생했으며, 유지와 정비도 쉽지 않았다. 게다가 가솔린자동차를 가동시키기 위해서는 정교한 손동작과 근력이 필요했다. 이에 따라 가솔린자동차는 기계에 일가견이 있는 사람들만 선호했다. 긍정적인 측면에서 보면, 가솔린자동차는 증기자동차와 마찬가지로 대부분의 언덕을 오를 수 있었고, 증기자동차보다 효율이 약간 떨어지긴 하지만 매우 빠른 속도로 도로를 주행할 수 있었다. 가솔린자동차가 가진 최대의 장점은 일단 시동을 걸기만 하면 연료를 추가로 공급하지 않고도 70마일을 달릴 수 있다는 점이었다.

2) 가솔린자동차가 승리한 까닭

그렇다면 가솔린자동차가 3파전을 평정한 이유는 무엇일까? 흥미롭게도 많은 기술사학자들은 '모험 지향성'을 골자로 하는 당시의 자동차 스포츠 문화에 주목하고 있다. 폭발음과 함께 거칠게

돌진하는 가솔린자동차는 얌전하게 운행되는 전기자동차나 신사다운 소리를 가진 증기자동차에 비해 훨씬 더 강렬한 인상을 주었다. 자동차 스포츠를 즐기는 사람들에게는 가솔린자동차의 잦은 고장 또한 단점이 아니라 모험적인 도전으로 여겨졌다. 1907년에 한 운전자는 다음과 같이 말했다. "기계공의 본능을 가진 남자들이 가솔린자동차를 좋아하는 이유는 그 불완전성과 특이함에 있다. … 가솔린자동차는 인간과 많은 점에서 공통된 영혼을 지니고 있다."[12]

미국의 가솔린자동차 업계가 차별화된 마케팅 전략을 구사했다는 점에도 주목해야 한다. 전기자동차나 증기자동차가 이미 동부 지역을 점유하고 있었기 때문에, 가솔린자동차 업계는 주로 중서부의 농촌 지역을 공략했다. 농촌 지역의 사람들은 전기자동차가 가지는 안락함이나 깨끗함에는 별다른 우선순위를 부여하지 않았다. 또한 가솔린자동차 업계는 증기기관이 검은 매연으로 가득한 공장 지역에 적합한 것이어서 평온한 농촌의 이미지와 상반된다는 점을 자주 강조했다. 더 나아가 가솔린자동차 업계는 중서부 지역에 진출하면서 자동차의 조작법을 맨투맨으로 가르치는 열성을 보였다. 당시의 농부들은 자동차라는 기계를 직접 조작함으로써 문화적인 열등감을 극복하고 있다는 느낌을 가지기도 했다.[13]

가솔린자동차가 승리할 수 있었던 가장 결정적인 계기는 포드(Henry Ford)가 '모델 T'를 통해 대중용 자동차 시장을 창출했다는 점에서 찾을 수 있다.[14] 그는 1906년에 모델 T에 집중하는 전략을 취하면서 다음과 같이 선언했다. "다수 대중을 위한 자동차를 만들겠습니다. 운전과 관리 면에서 가족이든 개인이든 충분히 사용할 수 있는 차가 될 것입니다. 현대 공학의 힘을 총동원하여 가장 단순한 설계를 내놓고, 최고 기술자의 힘을 빌려 최고의 소재로 차를 만들겠습니다. 그러나 가격은 아주 저렴하게 책정하여 괜찮은 보수를 받는 사람이면 누구나 살 수 있게 할 것입니다. 신이 창조하신 이 탁 트인 멋진 야외에서 가족과 함께 즐겁고 행복한 시간을 즐기십시오."[15]

모델 T는 1908년 10월 13일에 출시되자마자 폭발적인 인기를 끌었다. 당시 미국 사람들은 모델 T에게 '틴 리치(Tin Lizzie)' 혹은 '플리버(Flivver)'라는 애교스러운 별명을 붙였다. 틴 리치는 털터리 자동차를, 플리버는 싸구려 자동차를 뜻한다. 모델 T는 무게가 1,200파운드에 불과하면서도 20마력의 강력한 힘을 가진 4기통 엔진을 탑재하고 있었다. 게다가 모델 T에는 발로 조작하는 톱니바퀴식 2단 변속기가 장착되어 있어서 운전을 하는 것도 그리 어렵지 않았다. 무엇보다도 모델 T는 825달러라는 저렴한 가격으로 구입할 수 있는 장점이 있었다. 그것은 당시에 판매된 자동차 가격의 3분의 1 정도에 불과했다. 이처럼 저렴한 가격이 책정될 수 있었던 이유는 작업의 세분화와 작업도구의 특화를 바탕으로 동일한 자동차가 대량으로 생산되었기 때문이다.[16]

3. 자동차 생산방식의 변천

자동차의 역사적 시기는 베테랑 시기(Veteran era), 브래스 시기 혹은 에드워드 시기(Brass or Edwardian era), 빈티지 시기(Vintage era), 전쟁 전 시기(Pre-war era), 전쟁 후 시기(Post-war era), 현대 시기(Modern era) 등으로 구분된다.[17] 자동차에 관한 전통적인 역사는 해당 시기에 어떤 구조와 기능을 가진 자동차 모델이 등장했는지를 중심으로 서술된다.[18] 자동차의 역사는 이와 다른 각도에서도 접근할 수 있는데, 그것은 생산품이 아니라 생산방식에 주목하는 방법이다. 자동차의 생산방식에 대한 논의에서 자주 등장하는 용어로는 포드주의(Fordism), 슬론주의(Sloanism), 도요타주의(Toyotism) 등을 들 수 있다.

1) 대량생산과 대중소비의 결합[19]

1913~1914년에 포드 자동차 회사는 컨베이어 벨트(conveyor belt)로 연결된 조립 라인(assembly line)을 구축했다. 이러한 생산 과정은 기존의 방식과는 완전히 달랐다. 이전에는 노동자가 공작물로 다가가 작업을 수행했던 반면, 포드사의 조립 라인에서는 노동자의 위치가 고정된 가운데 공작물이 이동하는 방식이 구현되었던 것이다. 조립 라인이 구축되면서 포드사의 생산성은 급속히 향상되었다. 1914년에 포드사에서는 13,000명의 노동자들이 26만 720대의 자동차를 생산했던 반면, 미국의 나머지 299개 자동차업

체들은 28만 6,770대를 생산하기 위하여 66,350명의 노동자를 투입했다.

그러나 작업의 단순화는 높은 이직률이라는 부작용을 낳았다. 찰리 채플린(Charles Chaplin)이 〈모던 타임스(Modern Times)〉라는 영화에서 적절히 묘사했듯이, 하루 종일 나사를 조이는 작업만을 반복적으로 수행하는 데 무슨 노동의 즐거움이 있겠는가? 1913년 한 해 동안 포드사는 100명의 노동자를 확보하기 위하여 무려 936명을 고용해야 하는 위기에 직면했다. 이러한 문제점을 해결하기 위하여 포드는 1914년 1월 5일에 '일당 5달러(Five-Dollar Day)'라는 정책을 실시했다. 하루 8시간 노동에 대하여 최소한 5달러의 임금을 제공한다는 것이었다. 당시에 미국의 노동자들이 하루 9시간 일한 대가로 2.38달러를 받았으니, 포드사는 통상적인 임금의 2배 이상을 보장했던 셈이다.

이와 함께 포드사는 노동자의 규율을 확립하기 위하여 '사회학 부서(Sociological Department)'라는 별도의 조직을 만들었다. 사회학 부서는 노동자의 가정을 방문하여 노동자의 인간관계, 경제적 여건, 생활습관 등을 조사했다. 그것을 바탕으로 포드사의 경영진은 해당 노동자가 일당 5달러를 받을 수 있는 조건을 갖추었는지의 여부를 판단했다. 음주나 도박에 문제가 있는 노동자들은 경고를 받았고, 그것이 개선되지 않을 경우에는 해고되었다.

이러한 정책을 통해 포드사는 노동조합을 결성하는 움직임을 막을 수 있었다. 그보다 더욱 중요한 것은 노동자들을 자동차 고객층으로 확보할 수 있었다는 점이다.[6] 당시에 모델 T의 가격은

〈그림 1-3〉 포드사의 노동자들이 조립 라인에서 일하고 있는 광경(1913년)
자료: 위키피디아

400달러 정도였는데, 그것은 포드사에 근무했던 일반 노동자의 네 달치 봉급과 비슷했다. 이제 일반 노동자들도 마음만 먹으면 어렵지 않게 자동차를 구매할 수 있게 되었다. 이처럼 포드사는 컨베이어 벨트와 일당 5달러 정책을 통해 대량생산과 대중소비의 결합을 추구했다. 1920년대부터 미국 사회는 풍요한 경제와 모델 T의 확산을 배경으로 자동차 대중화 시대에 돌입하였고 1930년에는 가구당 1대의 자동차를 보유하게 되었다.

대량생산과 대중소비를 연결하려는 포드사의 실험은 이후에 포드주의로 불렸다. 그러나 포드주의는 다른 국가에 확산되는 과정에서 상당한 변형을 겪었다. 예를 들어, 독일에서는 이전의 생

6) 이와 관련하여 포드가 1922년에 발간한 자서전인 My Life and Work(나의 인생과 일)가 우리나라에서는 『고객을 발명한 사람, 헨리 포드』라는 제목으로 번역출간된 점도 흥미롭다.

산방식이 지배적인 가운데 컨베이어 벨트가 부분적으로 구축되는 데 그쳤고, 소련에서는 고임금이나 사회복지의 이념은 퇴색된 채 컨베이어 벨트를 통해 노동자를 착취하는 것만 남게 되었다.[20] 사실상 포드사는 온정주의 정책을 계속해서 유지할 수 없었다. 소비자의 새로운 기호를 반영하지 않고 한 가지 차종에 집착하는 바람에 경영 환경이 나빠졌기 때문이다.

2) 차종의 다양화와 모델의 갱신

1924년은 포드에게 역설적인 한 해였다. 모델 T는 1,000만 대의 생산대수를 돌파했고, 판매대수에서 경쟁 차종을 6배나 앞질렀다. 그러나 제너럴 모터스(General Motors, GM)가 저가 자동차인 쉐보레를 출시하면서 모델 T는 소비자들의 관심에서 차츰 멀어졌다. 쉐보레는 모델 T의 단점을 보완하면서도 신선한 스타일을 가지고 있었다. 덜컹거리는 크랭크 대신에 전자 시동장치가 부착되었으며, 무거운 톱니바퀴식 변속기 대신에 부드러운 3단 기어가 장착되었다.

당시 GM의 회장이었던 슬론(Alfred Sloan)은 "모든 지갑과 목적에 맞는 차(a car for every purse and purpose)"를 슬로건으로 내세웠다. 고객이 자신의 경제적 형편에 따라 필요한 자동차를 구입할 수 있도록 쉐보레, 폰티악, 올즈모빌, 뷰익, 캐딜락 등의 다섯 가지 브랜드를 동시에 생산했다. 이것은 고객이 평생 동안 GM 자동차에 만족할 수 있도록 하는 방법이기도 했다. GM 고객은 이다섯 가지 브랜드의 자동차를 차례대로 구입함으로써 마치 사다리를 타고 위로 오르는 것처럼 자신의 지위도 올라가는 것을 느꼈다. 처음에는 저렴한 쉐보레를 구입하고 그 다음에는 보다 나은 폰티악으로 올라가며, 나중에는 올즈모빌과 뷰익을 거쳐 결국 미국의 최고 신분을 상징하는 캐딜락을 사는 식이었다.[7)] [21]

이와 함께 슬론은 '1년 단위의 모델 변화(annual model change)'라는 개념을 선구적으로 도입했다. 해마다 새로운 모델을 주의 깊게 설계하고 출시함으로써 이미 판매된 자동차가 조기에 구식으로 여겨질 수 있도록 했다. 그것은 고의적 진부화(planned obsolescence) 전략에 해당하는데, 오늘날에는 일반화되었지만 당시로서는 매우 혁신적인 발상이었다. 그 밖에 GM은 고객에게 색상이나 장비를 선택하는 권한도 부여했고, 자동차 구매 가격에 대한 분할납부제를 도입하기도 했다.[22] 이런 식으로 GM은 고객의 욕구에 부응하는 자동차를 다양하게 선보임으로써 1931년에는 세계 최대의 자동차 판매대수를 기록할 수 있었다.[8)]

---

7) 이에 반해 포드는 계속해서 모델 T에 집착하였다. 그는 자신의 차가 팔리지 않는 이유를 몰랐으며, 그것을 알려고도 하지 않았다. 포드는 다음과 같은 말을 남기기도 했다. "고객은 누구나 원하는 자동차를 손에 넣을 수 있다. 적어도 그것이 까만 색깔인 한." 여기서 까만 색깔의 자동차는 모델 T를 의미하는 것이었다. 결국 포드사는 1927년에 모델 T의 생산을 중단하고 모델 A로 전환했다.

8) 그러나 자동차를 매년 다르게 만들어야 한다는 강박관념은 1970년대 말부터 미국 자동차의 성능경쟁력을 좀먹어 미국 자동차가 일본과 독일 자동차에 밀린 배경으로 작용하기도 했다. 강준만, 앞의 책, 80쪽.

3) 생산의 유연화와 노동자의 참여[23]

1950년이 되면서 포드, GM, 클라이슬러 등의 빅 스리(Big Three)가 미국 자동차 시장의 90퍼센트 이상을 점유했고 해외시장에서도 강세를 드러냈다. 같은 해에 도요타 자동차 회사의 도요타 에이지[豊田英二]는 디트로이트에 있는 포드사의 루지 공장을 3개월 동안 방문했다. 그는 포드사의 대량생산 방식이 일본에서는 적용될 수 없다고 결론 내렸다. 일본의 자동차 수요는 미국처럼 대중소비가 가능할 정도로 많지 않았고, 당시 일본의 경제 사정으로는 포드사와 같은 대규모 설비투자를 감당할 여력도 없었다. 또한 노동운동이 강화된 상황에서 노동자들에게 마치 기계의 부품처럼 수행하는 단순 노동을 적용하기도 어려워 보였다.

도요타 에이지는 '미국의 절반만 하자'는 방침을 세웠다. 설비투자도 절반만 하는 대신 자동차 생산에 소요되는 시간도 절반으로 줄이자는 것이었다. 이는 훗날 도요타주의, 도요타 생산방식(Toyota production system, TPS), 린 생산방식(lean production) 등으로 불리는 새로운 생산방식의 기본 철학이 되었다. 오노 다이이치[大野耐一]를 비롯한 도요타의 엔지니어들은 시간을 획기적으로 줄이는 방법을 간단한 금형교환기술에서 찾았다. 금형을 쉽게 움직일 수 있는 롤러와 조정기계를 만들어 자주 교환해 주면, 자동차 부품의 성형작업을 위해 값비싼 전용 기계를 설치할 필요가 없어 생산에 소요되는 시간을 단축할 수 있었다.

1956년에 미국을 방문한 오노 다이이치는 슈퍼마켓에 깊은 감동을 받았다. 슈퍼마켓은 구매자가 자신이 원하는 수량만큼의 물건을 집어 들고 계산을 하면 매니저가 빈 진열대를 재빨리 파악하고 이를 다시 채워 넣는 식으로 운영되었다. 일본으로 돌아온 오노는 공장의 생산라인을 슈퍼마켓의 진열대처럼 바꾸는 혁신적인 아이디어를 제안했다. 그것은 후속 공정에서 필요한 만큼만 앞 공정의 부품들을 인수함으로써 재고를 거의 남기지 않는 것으로 적기(just-in-time, JIT) 생산방식으로 불렸다.[24]

적기 생산방식을 실현하기 위해서는 생산에 관한 정보가 전후(前後) 공정 사이에서 정확히 전달되어야 했다. 이를 가능하게 한 것은 각종 정보를 담은 종이쪽지를 조그만 비닐 봉투에 집어넣은 간판[kanban]이었다. 간판은 부품과 함께 움직임으로써 누구나 생산 공정을 쉽게 파악할 수 있는 기능도 했다. 또한 도요타사는 노동자들에게 불량 부품이 만들어졌거나 조립과정에서 문제가 생겼을 때 생산라인을 정지시킬 수 있는 권한을 주었다. 이와 함께 도요타사의 노동자들은 가이젠[kaizen, 改善]으로 알려진 일본식 혁신 운동을 통해 재고나 낭비를 줄이고 생산성을 향상시키는 일에 지속적으로 참여했다. 이와 관련하여 도요타사는 미국식의 자동화에 대비하여 지도카[jidoka]라는 용어를 사용했는데, 이는 인간의 지능과 손길을 기계에 부여하는 자동화를 의미했다.[9)]

린 생산방식을 매개로 도요타사는 세계 일류의 자동차 회사

9) 미국식 자동화와 도요타의 지도카는 영어와 한문 표기에도 약간의 차이가 있다. 전자는 automation과 自動化로, 후자는 autonomation과 自働化로 표기된다.

로 거듭났다. 도요타주의는 1980년대에 들어와 본격적인 주목을 받으면서 포드주의와 대비되는 것으로 간주되었다. 더 나아가 도요타의 사례는 유연적 전문화(flexible specialization), 노동의 인간화 등에 대한 논의와 결부되어 포드주의를 대체하는 포스트포드주의(post Fordism)를 모색하는 것으로 이어졌다. 포드주의와 달리 포스트포드주의는 수요의 변화에 대응하여 생산라인을 유연하게 조정하고 노동자의 다기능화와 의사결정에 대한 참여를 촉진한다는 것이었다. 포스트포드주의가 포드주의를 넘어선 것인지 아니면 포드주의의 변형에 불과한지에 대해서는 뚜렷한 결론을 내리기가 쉽지 않다.[10] [25]

4. 자동차 이용의 고도화

자동차의 생산과 이용에 연결된 요소는 매우 다양하다. 해마다 새로운 모델을 출시하기 위해서는 끊임없는 연구와 개발이 있어야 한다. 하나의 자동차를 생산하는 데에도 완성차업체뿐만 아니라 수많은 부품업체들이 참여해야 한다. 자동차를 구입한 후에는 보험에 들어야 하고 각종 세금도 납부해야 한다. 자동차를 적절히 이용하기 위해서는 도로망도 정비되어야 하고, 석유도 적당

10) 이에 대하여 데이비드 에저턴, 정동욱 · 박민아 옮김, 『낡고 오래된 것들의 세계사』(휴먼사이언스, 2015), 116쪽은 "대량생산 또는 포드주의의 중요성이 과장된 만큼 그것의 쇠퇴에 대한 보고들에도 과장이 있었다."고 평가한 바 있다.

한 가격에 공급되어야 하며, 수리나 정비를 위한 서비스도 제공되어야 한다. 그 밖에 주차, 휴식, 숙박 등을 위한 시설도 필요하다. 이처럼 자동차는 단순한 기술이 아니라 여러 기술적 요소와 사회적 요소가 결부된 일종의 시스템을 이루고 있다. 자동차 시스템은 처음에는 간단한 것이었지만, 그것이 점차 확장되면서 오늘날에는 여러 이해당사자들이 관계된 매우 복잡한 성격을 띤다.[26]

1) 자동차 도로망의 확충

1910년대만 해도 자동차 운행에 적합한 도로는 거의 없었다. 당시의 도로는 마을 구석구석을 모두 지나가게 되어 있었고, 갑자기 좁아지는 경우도 많았으며, 움푹 파인 구멍과 홈도 가득했다. 1914년 독일을 기준으로 전체 도로의 88퍼센트가 자갈길이었고 12퍼센트가 포장된 도로였는데, 자동차에 적합한 것은 0.1퍼센트에 지나지 않았다.[27]

세계 각 지역의 자동차 클럽들은 지방정부에 도로를 개선하도록 압력을 가했다. 기존의 도로를 아스팔트로 포장하고 자동차 전용도로를 만들어달라는 것이었다. 일의 진척은 느렸지만, 자동차용 도로는 서서히 모습을 드러냈다. 1907년에는 세계 최초의 출입제한 공동도로(limited-access roadway)가 미국 뉴욕에 건설되었고, 1925년에는 이탈리아의 밀라노와 바레제를 잇는 자동차 전용도로가 개통되었다. 이어 1932년에는 독일 최초의 아우토반(Autobahn)이 쾰른과 본 사이에 설치되었다.[28]

〈그림 1-4〉 편도 3차선과 비상 차선을 구비한 아우토반의 모습

자료: 위키피디아

자동차 도로망의 확충에 가장 적극적이었던 국가는 미국이었는데, 여기에는 대공황이 기폭제로 작용했다.[11] 연방정부가 공공 토목사업을 위해 엄청난 돈을 쏟아 부으면서, 뉴욕 주, 펜실베이니아 주, 캘리포니아 주 등지에 새로운 도로들이 잇달아 건설되었다. 이러한 도로들은 모두 장거리 운행에 적합하도록 급격한 커브가 없도록 설계되었다. 그러나 제2차 세계대전이 발발할 당시만 해도 미국의 전체 도로 중에서 절반 정도는 여전히 포장되지 않은

11) 이와 반대로 자동차가 대공황의 핵심적인 조건으로 작용했다는 해석도 있다. 자동차를 매개로 대량생산이 통제할 수 없는 수준으로 치솟는 바람에 대공황이 발생했다는 것이다. James J. Flink, *The Car Culture*(Cambridge, MA: MIT Press, 1975), pp.167–181.

채 남아 있었다.[29]

제2차 세계대전을 매개로 연방정부도 도로망을 확충하는 데 직접 나서기 시작했다. 1944년에 미 의회는 기존의 철도로는 군대와 군수품을 효과적으로 이동시킬 수 없다는 판단을 바탕으로 방위공공도로법을 통과시켰다. 이를 계기로 미국에서는 주간 고속도로(interstate highway)들이 잇달아 건설되었는데, 도로에 대한 진출입을 원활하게 하기 위해 네 잎 클로버 모양의 입체경사로가 널리 활용되었다. 이어 1956년에는 주간 및 국방 공동도로법이 제정되어 차량에 부과하는 각종 소비세로 고속도로를 확충하기 위한 사업이 전개되기 시작했다. 결국 미국에서는 1960년대가 되면 전국적 자동차 도로망이 갖추어지기에 이르렀다.12) [30]

2) 휴가와 교외의 탄생

초창기에는 주로 스포츠를 좋아하는 부유층이 자동차를 구입했지만, 1920년대 이후에는 각계각층의 사람들이 자동차를 몰게 되었다. 의사들은 왕진을 가기 위해 자동차를 구입했고, 소매상들은 고객에게 물건을 배달하기 위해 자동차를 이용했으며, 가정주부들은 쇼핑을 가기 위해 자동차 운전을 배웠다. 미국의 농촌에

---

12) 독일의 경우에는 1955년에 교통자본법이 제정된 후 체계적인 도로 확장이 시작되어 1980년대에 전국적 도로망을 갖추게 되었다. 쿠르트 뫼저, 김태희 · 추금환 옮김, 『자동차의 역사: 시간과 공간을 바꿔놓은 120년의 이동혁명』(뿌리와 이파리, 2007), 107-108쪽.

서 자동차가 확산되면서 새로운 용도가 발명되었다는 점도 주목할 만하다. 예를 들어 모델 T가 처음에는 운송수단의 의미를 가지고 있었지만, 나중에는 다른 농기계를 작동시키기 위한 동력으로도 활용되었다.[31]

자동차 시스템은 휴가를 창출하기도 했다. 예를 들어 이전에 외딴 곳에 불과했던 버몬트는 자동차 수요가 늘고 도로망이 정비되면서 인기 있는 관광지로 부상했다. 스키 리조트와 여름 캠프가 새로운 도로 부근에 생겨났고, 1928년에는 그린 마운틴 하이킹 코스가 문을 열었다. 버몬트를 시작으로 미국 전역에는 자동차로 접근할 수 있는 관광지들이 속속 개발되었고, 여기에는 모텔, 레스토랑, 쇼핑몰 등이 구비되기에 이르렀다. 1929년경에는 4천 5백만 명에 이르는 미국인들이 매년 휴가를 즐기러 자동차를 타고 떠났다.[32]

자연풍경도 자동차 이용자의 욕구에 맞게 배치되거나 변형되었다. 공원도로(park way)가 속속 등장하여 자동차를 타고 지나가면서 자연풍경을 감상할 수 있게 되었다. 국립공원의 확장 역시 자동차에 적합하게 계획되었다. 자동차를 탄 방문객들이 지정된 지점에서만 정차하여 풍경을 즐길 수 있도록 구성되었던 것이다. 스위스나 오스트리아의 산정도로는 운송용 도로라기보다는 알프스 관광을 위한 자동차 산책도로에 해당했다.[33]

자동차는 교외(suburb)를 탄생시킨 일등공신이기도 했다. 1920년대 이후에 미국에서는 로스앤젤리스 서쪽의 비버리힐스와 미시건 주의 그로스 포인트를 시작으로 교외가 기하급수적으로 증가했다.[34] 새로운 교외들은 자동차의 접근성이 좋은 정도가 아니라 자동차에 의존할 수밖에 없는 곳에 조성되었다. 새롭게 형성된 교외에는 대중교통 시설이 없는 경우가 다반사였고, 자동차 진입로나 차고가 교외 개발계획의 중요한 부분이 되었다. 1970년이 되면 시내나 농촌보다 교외에 거주하는 미국인들의 수가 더욱 많아졌다.[35]

5. 사회문제가 된 자동차

자동차에 대한 의존은 의도하지 않은 결과를 수반했다. 자동차는 오랫동안 바람직한 기술로 간주되었지만, 20세기 후반에 들어와 예상하지 못한 부작용이 유발되었다. 자동차의 이용이 계속해서 확대되는 것을 배경으로 환경오염, 안전사고, 석유파동 등의 문제가 차례로 밀어닥쳤다. 이러한 사회문제 때문에 자동차는 격렬한 논쟁의 도마 위에 올랐다. 이에 대응하여 각종 법률적 · 기술적 조치가 취해졌지만, 그것을 매개로 새로운 유형의 딜레마가 생겨나기도 했다.

1) 환경오염의 경고

지금은 믿기 어렵겠지만, 초창기에는 자동차가 환경을 깨끗하게 한다는 인식이 지배적이었다. 마차 대신에 자동차를 사용하면 말이 내뿜는 오염이 사라질 수 있다고 생각했던 것이다. 한 통계에 따르면, 1890년대 뉴욕 시에 있던 6만 마리의 말은 매일 1,250톤의 똥과 6만 갤런의 오줌을 배출했고, 1년 전체로 보면 1만 5천 마리의 죽은 말을 치워야 하는 형편이었다.[36] 물론 자동차가 배출하는 매연에서 불쾌한 냄새가 나긴 했지만, 사람들은 그것이 대기 중으로 바로 사라지는 모습을 보고 환경에 나쁜 영향을 끼칠 것이라고 생각하지는 않았다.

대기오염의 해악은 1940년대 말과 1950년대 초에 가시화되었다. 여러 도시들에서 대기역전(atmospheric inversions) 현상으로 바람이 잦아들어 오염물질들이 고이기 시작했다. 이로 인해 1948년에는 펜실베이니아 주 도노라에서 20명이 사망했고, 1952년 런던에서는 2주 동안 4,000명이 사망했으며, 1년 후 뉴욕 시에서는 일주일 동안 200명이 목숨을 잃었다. 이러한 일련의 사건을 경험하면서 미국 의회는 1955년에 국가대기오염통제법을 제정하여 대기오염을 해결하는 방안에 대한 연구를 지원하기 시작했다.

처음에는 문제를 일으키는 화학물질이 석탄을 태우거나 석유를 정제할 때 나오는 것으로 생각되었다. 이에 따라 산업적 용도로 석탄과 원료유를 사용하는 것을 금지했으나 문제는 계속 악화되었다. 결국 대기오염의 주범은 자동차 배기가스로 밝혀졌고, 거기에는 일산화질소를 필두로 일산화탄소, 탄화수소, 납 등이 포함되었음이 규명되었다. 자동차 배기가스는 소량만 들이마셔도 운전자나 행인의 시야를 흐리게 하기 때문에 자동차 사고의 빈도를 높였다. 호흡기가 이미 손상된 사람이 자동차 배기가스를 흡입할

경우에는 즉각적인 독성이 나타나기도 했다.[37]

1960년대에 들어서는 자동차의 배기가스를 규제하기 위한 다양한 조치들이 시행되기 시작했다. 크랭크실 블로바이 장치 장착, 배기정화 장치 장착, 무연 휘발유 판매 의무화 등이 그 대표적인 예다. 당시의 자동차업계는 이러한 조치들을 시행하는 데 비협조적인 태도를 보였는데, 이에 대해 미국 자동차산업의 역사를 연구해 온 레이(John B. Rae)는 다음과 같이 썼다. "자동차산업의 대변자들은 처음에는 문제 자체를 부정했고, 그 다음에는 문제는 인정했지만 아무런 해법이 없다고 주장했고, 마지막에는 해결이 가능하다는 점을 시인했지만 해법의 개발에 너무 많은 비용이 들고 실제로 적용하기 어렵다고 주장했다."[38]

자동차로 빚어지는 다른 차원의 환경문제에도 주목할 필요가 있다. 우선 낡은 차를 수거하고 처리하는 과정에서도 폐기물과 유해물질이 부수적으로 생겨난다. 이에 대해 낡은 차를 신차로 바꿀 때 유발되는 환경오염이 신차 사용으로 인한 환경상의 유익함보다 더욱 클 수 있다는 주장이 제기되기도 한다. 이와 함께 폐차되지 않은 선진국의 중고차들이 배기가스를 길게 내뿜으면서 개발도상국의 거리를 활보하고 있는 모습도 목격할 수 있다. 그 밖에 자동차의 편리한 이용을 위해 도로, 주차장, 모텔 등을 건설하는 과정에서 자연경관을 망치거나 자연환경을 파괴하는 문제도 무시할 수 없다.

2) 안전성에 대한 우려

자동차가 처음 등장했을 때에는 안전성이 별로 문제되지 않았다. 당시의 자동차 운전자들은 자발적으로 위험한 모험을 즐겼으며, 위험이 오히려 운전의 쾌락을 고조시킨다고 생각했다. 자동차 사고에서 살아남은 이야기를 늘어놓는 일이 초기 자동차 문화의 골격을 형성할 정도였다. 그러나 자동차가 대중화되면서 1950년대 이후에는 자동차 사고가 급속히 증가했다. 1965년을 기준으로 자동차 사고로 인한 사망자 수는 서독이 1만 5천 명, 미국이 4만 9천 명을 기록했다.[39]

1965년은 미국의 소비자 운동가인 네이더(Ralph Nader)가 『어떤 속도에서도 안전하지 않다(*Unsafe at any Speed*)』라는 베스트셀러를 출간한 해이기도 하다. 그는 쉐보레 코베르에 대한 소비자들의 불만을 조사한 결과, GM이 코베르의 타이어압력이 낮으면 전복 위험이 있다는 점을 소비자에게 알리지 않고 은폐해 왔다는 사실을 폭로했다. 결국 1966년에는 국가교통 및 자동차안전법이 통과되었고, 이 법에 따라 국가공공교통안전청이 설립되었다. 국가공공교통안전청이 도입한 기준에는 앞좌석의 안전벨트 착용, 충격 흡수식 조향축, 이중 브레이크 시스템 등이 포함되었다.[13)] [40]

자동차산업의 대변자들은 미국인들이 새로운 안전장치에 대

---

13) 당시에 GM은 네이더를 매장하기 위해 사설탐정을 동원해 뒷조사를 했으며, 온갖 회유와 협박도 모자라 미인계까지 동원하는 치졸한 수법까지 썼다.

〈그림 1-5〉 1952년에 미국 텍사스 주 휴스턴에서 발생했던 자동차 사고의 광경
자료: 위키피디아

해 결코 자발적으로 돈을 지불하지 않을 것이라고 주장했다. 이와 함께 공공도로가 개선된 덕분에 자동차 한 대당 사망자 수가 감소하고 있다는 점도 덧붙였다. 그러나 대중들은 주변 사람들의 사망, 부상자들의 고통, 자신의 박살난 차에 비해 이러한 통계가 그다지 중요하지 않다고 여겼다. 또한 자동차업체들이 그다지 많은 비용을 들이지 않고도 안전장치를 도입할 수 있다는 점도 드러났다. 최초의 안전기준이 발효된 지 2년이 지나서 자동차 한 대당 사망자의 수가 급속히 감소하자 자동차산업의 이미지는 더욱 타격

을 입게 되었다.[41]

그 후 브레이크 잠김 방지 장치(anti-lock braking system, ABS)와 전자식 주행안정화 프로그램(electronic stability program, ESP)을 비롯한 다양한 안전기술이 등장했다. 그러나 이러한 안전기술은 새로운 딜레마를 만들어내기도 한다. 더욱 안전해진 자동차의 한계를 알아보려고 더욱 위험하게 운전하려는 유혹이 생기기 때문이다. 또한 자동차 사고가 국내총생산의 증가에 기여하는 측면도 있다. 왜냐하면 자동차 한 대가 찌그러질 때마다 그것을 수리 혹은 대체해야 하고, 한 사람이 부상당할 때마다 병원의 수익이 늘어나기 때문이다.[42]

3) 석유파동에의 대응

석유는 1859년에 펜실베이니아 지역에서 처음 시추되었으며, 그 후 상당 기간 동안 조명, 난방, 취사 등을 위해 사용되었다. 그러던 중 19세기 말부터 자동차가 널리 확산되면서 석유산업은 본격적으로 번창하기 시작했다. 제2차 세계대전 이후에는 중동 지역에서 대규모 유전들이 잇달아 개발되면서 인류 사회는 석유를 대량으로 소비하는 시대에 진입했다. 오늘날 석유산업은 자동차산업과 함께 세계 경제를 좌우하는 중요한 산업이 되었다.[14)]

1973년 10월에 석유수출국기구(Organization of the Petroleum Exporting Countries, OPEC)가 이스라엘을 돕는 모든 국가에게 석유의 선적 중단을 선언하자 미국을 포함한 서방 세계는 큰 충격을 받았다. 이른바 제1차 석유파동(oil shock)이 발생한 것이었다. 주유소마다 성난 자동차 운전자들이 길게 늘어섰고, 10월부터 12월 사이에 원유 가격은 약 130퍼센트나 인상되었다. 당시의 상황에 대하여 미국의 유명한 여성 기술사학자인 코완(Ruth S. Cowan)은 다음과 같이 재치 있게 분석했다. "비난의 화살은 동시에 여섯 방향으로 향했다. 소비자들은 주유소들이 휘발유를 숨겨 놓고 있다고 했고, 정유회사들은 정부가 좀 더 단호하게 행동했어야 한다고 추궁했으며, 많은 경제학자들은 석유회사들이 부당이득을 취하고 있다고 주장했다. 일부 정치인들은 이스라엘을 편든 외교관들에게 상황의 책임을 물었으며, 또 다른 정치인들은 아랍 국가들의 비위를 맞춰온 외교관들을 조롱했다. 석유회사들은 자동차 제조업체들이 10년 전부터 연료 먹은 하마의 생산을 중단했어야 한다고 불평을 토로했으며, 자동차 제조업체들은 소비자들이 소형차에 한 번도 열의를 보인 적이 없다고 볼멘소리를 늘어놓았다."[43]

미국에서는 1975년의 에너지 정책 및 보존법을 통해 몇 가지 비상조치가 취해졌다. 전국적으로 시속 55마일로 차량 운행 속도가 제한되었으며, 신차의 연비를 2배로 올리기 위한 엄청난 목표가 세워졌다.[44] 석유파동의 여파로 미국의 소비자들은 연비가 좋은 소형차에 커다란 관심을 보이기 시작했다. 그들은 같은 가격으로 훨씬 더 나은 연비를 갖춘 일본 자동차를 구입할 수 있다는 사

14) 2005년에는 매출액 기준 세계 10대 기업 중에 석유업체 4개와 자동차업체 4개가 포진하기도 했다. BP(British Petroleum), 엑슨 모빌, 로열 더치 쉘, 토탈, 제너럴모터스, 다임러크라이슬러, 도요타, 포드 등이 그것이다.

실도 알게 되었다. 1970년에 미국인이 구입한 자동차의 60퍼센트 이상은 미국산 중대형 모델이었다. 그러나 10년 후인 1980년에 판매된 자동차의 60퍼센트 이상이 소형차였고, 그중 27퍼센트는 미국 바깥에서 생산된 것이었다.[15] 45

석유파동은 인류 사회가 얼마나 석유에 의존하고 있는지를 새삼스럽게 깨닫게 된 계기였다. 이를 매개로 유한한 에너지 자원의 낭비에 대한 경각심이 생겨나기는 했지만, 자동차에 대한 인류의 사랑은 식을 줄을 몰랐다. 자동차 업계는 기술개발을 통해 자동차 비판에 대한 저항력을 높였고, 소비자들은 연비가 높은 자동차를 타면서 양심의 가책을 조금이나마 덜어낼 수 있었다.[16] 석유파동은 전기자동차에 대한 관심을 불러일으키기도 했으며, 상용화가 가능한 전기자동차가 여러 차례 발표되기도 했다. 그러나 전기자동차가 실제적인 상업화의 단계에 진입한 것은 매우 최근의 일이다.

---

15) 1980년에 일본이 1,104만 대의 자동차를 생산해 세계 최대의 자동차 강국의 자리에 오르자 미국인들은 큰 충격을 받았다. 같은 해에는 최고 품질의 자동차를 만드는 국가에 대한 설문조사도 수행되었는데, 일본이 48퍼센트로 1위, 미국이 27퍼센트로 2위, 독일이 23퍼센트로 3위를 차지했다. 강준만, 앞의 책, 190쪽.

16) 이에 반해 자동차를 팔고 대중교통이나 자전거를 이용하자는 운동을 벌이는 사람들도 있다. 케이티 앨버드, 박웅희 옮김, 『당신의 차와 이혼하라』(돌베개, 2004)를 참조.

자동차의 방대한 역사를 짧은 지면에 충실히 담아내기는 어렵다.[17] 이 글은 자동차의 역사에서 중요한 사건과 측면을 개관해 보는 하나의 시론에 지나지 않는다. 다만 이 글에서는 자동차의 출현, 가솔린자동차의 선택, 자동차 생산방식의 변천, 자동차 이용의 고도화, 자동차의 사회적 문제 등을 중심으로 자동차의 일생에 대한 큰 얼개를 구성하려고 시도했다. 본문의 논의를 통해 드러난 논점을 정리해 보면 다음과 같다.

첫째, 자동차의 출현에는 다양한 발명가들이 관여했으며 자동차가 처음 출현한 곳과 수용된 곳은 달랐다. 둘째, 가솔린자동차가 기술적으로 우수했기 때문에 자동차 시장의 지배적 설계로 자리 잡은 것은 아니었다. 셋째, 자동차 생산방식의 변화에는 고객의 수요에 대응하는 문제와 내부 조직을 관리하는 문제가 결부되어 있었다. 넷째, 자동차 이용이 확대되면서 도로망이 정비되는 가운데 새로운 휴가문화와 거주문화가 탄생했다. 다섯째, 자동차에 대한 의존은 환경오염, 안전사고, 석유파동 등과 같은 의도하지 않은 결과를 유발했다.

최근에는 하이브리드자동차와 전기자동차가 세력을 넓혀가고 있으며, 수소자동차나 자율주행자동차도 상당한 주목을 받고 있다. 앞으로 자동차의 세계가 어떤 모습을 띠게 될지를 정확히

---

17) 이에 대하여 1975년에 MIT 명예교수 린우드 브라이언트(Linwood Bryant)는 다음과 같이 말하기도 했다. "자동차가 미국인의 삶에서 차지하는 중요성에 상응하는 연구가 학계에서 이루어진다면, 그렇게 해서 나오는 책이 적어도 우리 도서관장서의 40퍼센트는 차지할 것이다." 강준만, 앞의 책, 8쪽.

그럴 수는 없지만, 이 글을 통해 알 수 있는 점은 자동차의 일생을 고려한 접근이 필요하다는 점이다. 자동차의 미래에 대한 논의는 해당 자동차의 출현, 선택, 확산, 이용, 영향 등을 고려한 가운데 이루어져야 하는 것이다. 이러한 접근법을 취하게 되면, 미래형 자동차를 둘러싼 기술적 기반, 경제적 환경, 사회적 관계, 법률적 쟁점, 문화적 의미 등을 담아낼 수 있을 것이다. 이를 위한 기본적인 조건은 과학기술계와 인문사회계가 머리를 맞대고 자동차의 다채로운 측면과 쟁점을 균형 있게 검토하는 데 있다.

2장

자율주행자동차의 기술적 구성 요소

김정하

인류 역사에서 탈 것은 늘 역사의 발전과 함께 진화했다. 1886년 칼 벤츠에 의해 최초로 개인의 이동수단으로 자동차가 개발되었고 이는 이동수단의 기술적 · 문화적 혁명이었다. 이후 자동차산업은 기술적 측면에서 혁신적인 성과를 이루었지만 최초의 영광과 같은 문화적 혁명을 이룩하진 못했다.

다양한 용어로 불리지만 운전자 없이 스스로 운전하는 자동차를 표현하는 용어는 자율주행자동차가 정확하다. 자율주행자동차의 개발 역사는 2004년 미국의 다르파 그랜드 챌린지(DARPA Grand Challenge)까지 거슬러 올라간다. 당시 자율주행 기술 수준은 개활지를 위성항법장치(GPS)에 의존해 주행하는 수준으로 미국 도로교통안전국(National Highway Traffic Safety Administration, NHTSA)이 정의한 자율주행 기술단계 0~4단계 중에서 3단계에 해당한다. 자율주행 3단계란 제한적 자율주행 가능을 의미하며 완전한 자율주행을 의미하는 4단계에 이르기 위한 각 요소별 자율주행 기술을 보유한 상태라고 할 수 있다. 2007년 다르파(DARPA, 미국국방부고등연구계획국)가 주관하는 자율주행자동차 대회는 그 무대를 사막에서 도심지 환경으로 옮기게 된다. 단순히 그 무대가 사막에서 도심지 환경으로 변화한 수준이 아니었기 때문에 2007년의 어번 챌린지(Urban Challenge)는 해를 넘겨 다음 대회에서야 우승자가 나올 것이라 예상했지만, 대회가 열린 해에 우승자가 나오는 이변 아닌 이변이 발생했다. 이때까지만 해도 자율주행자동차는 미래의 기술 정도로 취급되었으며 상용화는 시기상조라 여겨졌다. 차량 한 대를 자율주행자동차로 만드는 데 드는 천문학적 비용이 큰 이유 중 하나였고 사람들은 자율주행자동차의 안전성과 필요성에 의문을 품고 있었기 때문이다.

이런 분위기는 2009년 구글의 기사를 통해 한 번에 반전되었다. 구글은 자사가 보유한 프리우스 기반의 자율주행자동차를 2020년 즈음에 상용화하기 위해 개발 중이며 현재까지 수십만 km를 자율주행하는 데 성공했다고 공표했다. 구글의 이 기사는 자율주행 기술의 수준이 생각보다 훨씬 진보되었음을 알리며 세계의 이목을 집중시키는 데 충분한 효과를 거뒀다. 이후의 판도는 엄청난 변화의 격류라 할 수 있다. 과학 기술에 있어서 가장 큰 이슈 중에는 늘 자율주행자동차가 있으며, 먼 미래의 기술은 당장 실현될 기술로 자리매김했다.

2016년 현재 다양한 업체가 자율주행자동차의 상용화를 목표로 하고 있다. 한 가지 특이한 점은 자동차 업계의 경우는 자율주행 3단계를 상용화 목표로 하는 반면 구글은 4단계를 목표로 하고 있다. 상용화를 이루는 자율주행 단계에는 차이가 있을지 모르나 도로에서 자율주행자동차를 보게 될 날이 머지않은 것은 분명하다.

1. 자율주행자동차 기술 요소: 항법

자율주행자동차를 구성하는 기술적 요소는 크게 항법(Navigation), 인지(Perception), 판단(Decision Making)이다. 항법은 자율주행의 기본 바탕으로 현재 위치에서 주어진 목적지까지 자율주행자동차를 유도하는 과정이라고 생각하면 된다. 자율주행자동차를 유도하기 위해서 항법에서는 측위(Localization)와 관련된 연구와 경로추종(Path Tracking)과 관련된 연구가 주를 이룬다.

측위는 위치와 관련된 연구 분야로서 자율주행에서 가장 중요한 정보라 할 수 있다. 또한, 위치정보를 주로 다루는 항법에서도 마찬가지로 가장 중요한 정보라 할 수 있다. 위치정보를 획득하는 방법에는 다양한 방법이 있지만 크게 측위 센서를 사용하는 방법과 사전에 구축된 맵 정보를 활용하는 방법 그리고 인프라의 도움을 받는 방법이 있다. 먼저 센서를 사용하는 방법 중에서 위성항법장치를 사용하는 방법에 대해 알아보자.

1) 측위 방법

(1) 위성항법장치(GPS: Global Positioning System)

위성항법장치는 대표적인 측위 시스템으로 미국 국방성에서 장거리 고정밀 폭격을 위한 군사목적으로 개발한 위성항법시스템을 의미한다. 측위정보를 송신하는 인공위성과 이를 수신하는 안테나로 구성되며 위성의 전파 신호가 잡히는 지구 표면 어디에서든지, 해당 지점의 위경도 좌표 데이터를 포함한 3차원 운동정보를 구할 수 있다. 총 30개의 위성이 최적의 기하학적 배치 방법을 이용하여 지구 공전궤도면에 분포하고 있으며 지구 표면에서 기본적으로 6개 이상의 위성을 사용하여 위치 정보를 계산하고 측정할 수 있도록 고안된 시스템이다.

위성항법장치가 구축되기 시작한 1973년부터 2000년까지 미국방성은 고의적인 잡음을 발생시켜 민간용 장비에서 정밀 측위를 할 수 없도록 하였으나, 잡음 해제 이후 민간용에서도 3~15m 사이의 비교적 높은 정밀도를 가지는 위치 정보를 얻을 수 있었다. 하지만 3~15m의 측위 오차는 다양한 속도와, 환경에서 주행해야 하는 자율주행 차량에서 보정 없이 그대로 사용하기 어려울 정도로 큰 오차 범위를 갖기에, 별도의 장비나 측위 오차 보정 소프트웨어를 이용하여 측위정보를 사용하여야 한다. 측위 시스템으로는 위성항법장치 이외에도 러시아의 GNSS(Global Navigation Satellite System), 유럽연합의 갈릴레오(GALILEO), 중국의 베이더우(BEIDOU) 등이 있으며, 위성항법장치와 유사한 방법으로 위치정보를 연산하고 측정한다.

(2) 고정밀지도(High-Definition Map)

측위정보를 획득하는 다른 방식으로 사전에 구축된 맵 정보를 사용하는 방법이 있다. 고정밀지도는 맵 정보를 통해 측위정보를 획득하는 방식으로 미국의 엔비디아(Nvidia)사와, 구글사, 유럽의 히어(HERE)사가 위성항법장치와 같은 전파 수신에 의한 위치 측정 방식의 한계를 벗어나기 위해 사용하는 방법이다. 레이더(RADAR), 라이다(LiDAR), 카메라(CAMERA)와 같은 광학장치들을 주행 가능한 차량에 부착하고, 측위하고자 하는 차량이나 물체에서 광학장치들을 사용하여 얻어지는 거리 및 형상 정보와 지도에 저장된 정보를 동시적 위치추정 및 지도 일치화(Map Matching)하여 현재 위치를 정확하게 계산하고 측정할 수 있다. 위성항법장치와 같이 전파 수신에 의한 측위 방식과 다르게 실내외 어디서든지 위치 측정이 가능하다는 장점이 있으나, 사전에 고정밀지도가 작성되어 있지 않거나 광학장치가 없는 경우 그리고 비나 눈과 같은 기상 현상에 따라 도로 정보가 바뀔 경우 등의 상황에서는 위치 측정이 어렵다는 단점이 있다.

(3) 인프라 활용 측위 방법

인프라를 통해 측위정보를 얻는 방식은 다양하지만 핵심은 사전에 구축된 시설물과 시스템으로부터 해당 정보를 수신하는 것이다. 마그네틱 셀(Magnetic Cell)은 〈그림 2-1〉과 같이 도로 위

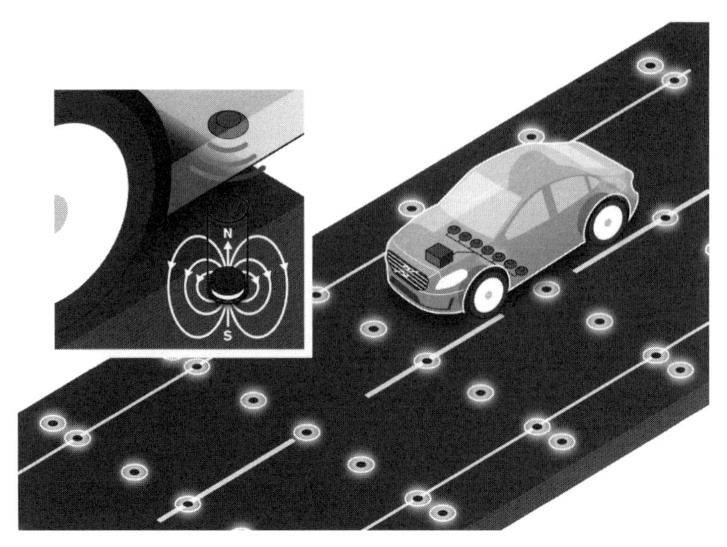

〈그림 2-1〉 마그네틱 셀(Magnetic Cell)을 활용한 측위 방법

자료: www.wired.com

에 일정 간격으로 설치되는 장착물로 일정 간격으로 설치되는 이점을 반영하여 측위정보를 제공할 수 있다. 이러한 방식 역시 위성항법 방식이 갖는 불안정한 요소를 극복할 수 있다는 장점이 있다. 다만 설치 규모에 따른 비용과, 유지보수 측면에서 발생하는 비용이 단점으로 작용할 수 있다. 최근에는 비콘(Beacon)과 같은 근거리 통신 방식을 통해 더 다양한 정보를 제공하는 방식도 개발 중이다.

2) 측위 오차 보정

소개한 방식 외에도 다양한 방식을 통해 측위정보를 획득할 수 있다. 하지만 한 가지 문제는 획득되는 정보에 포함되는 에러, 즉 오차율이다. 부정확한 측위정보는 자율주행에 악영향을 초래할 가능성이 매우 크다. 따라서 발생하는 오차를 보정하는 과정이 필요한데 그 방식에 대해 알아보자.

(1) 위성항법 보정

위성항법에서 저가형 단일 안테나 수신기를 사용할 경우 많은 측위 오차를 포함할 수 있다. 이를 해결하기 위해 두 개 이상의 위성항법장치 측위정보를 통한 DGPS(Differential GPS) 방식이 사용된다. DGPS는 상대측위 방식이라고도 하는데, 위치정보를 알고 있는 기준점에서 위성항법장치 신호를 수신하여 위치정보를 측정하고, 기준점과 동일한 위성신호를 수신할 수 있는 측위점에 별도의 위성항법장치 수신기를 설치하는 방식이다. 이때, 두 지점에서 수신된 위성신호는 공통되는 위치 오차정보를 포함하고 있어, 이 오차정보를 제거하여 위치를 계산할 경우 단일 위성항법장치를 사용한 경우보다 정밀도를 높이는 방식이다. 이러한 보정 관계를 실시간으로 수행하는 방식을 RTK(Real time Kinematic)라 부르며 보정에 사용하는 기준국 설치를 상호 안테나 사이의 간격에서 사용하는지 가상 기준국을 사용하는지 여부에 따라서 VRS(Virtual Reference Station)라 부르기도 한다. 정리하자면 RTK

방식은 실시간으로 보정신호를 측정하고 송출하는 기준국을 사용하고, 이때 기준국을 따로 설치하지 않고 가상 기준국을 사용하는 방식을 VRS라 정의한다. VRS의 장점은 통신 주파수의 제약에서 비교적 자유로우며 기준국을 따로 설치하지 않아도 된다는 부분이지만 보정신호를 송출하는 고정국의 영향이 크고 유무선 네트워크 장애 발생 여부에 따라 오차가 크게 발생할 수 있다는 단점이 있다.

위성신호를 직접적으로 처리하고 보정하는 방식이 아니더라도 측위정보를 보정하는 방식에는 센서를 통한 측위 보정 방식이 있다. 가속도 센서, 자기 센서 그리고 엔코더 센서 등이 사용되며 상대적으로 변화하는 물리량 측정을 통해 절대적 변화량을 유추하는 방식이다. 이를 구현하기 위해 일반적으로 센서 간 융합을 통해 필터 과정을 거치며, 대표적인 방법으로는 확장형 칼만필터를 통한 측위정보 추정 방법이 있다. 이를 효과적으로 처리하여 가공된 측위정보를 제공하는 방식으로는 관성항법장치 INS(Inertial Navigation System)가 있다.

(2) 관성항법장치 INS(Inertial Navigation System)

관성항법장치 INS는 관성측정장치(IMU, Inertial Measurement Unit)의 3축 가속도계로부터 얻은 차량의 3축 속도, 가속도, 각속도 등 다양한 운동정보를 통해 상대적 운동 변화량을 측정하고, 위성항법장치로부터 얻는 측위정보와 융합하여 최종적으로 수정된 측위정보를 산출하는 시스템이다. 일반적으로 보다 안정하

〈그림 2-2〉 국민대학교 무인차량연구실 자율주행자동차 KUM

고 견실한(Robust) 자율주행을 위해서는 RTK 방식으로 보정된 측위정보를 수신하고, 이 측위정보를 관성항법장치와 연동하여 더 정밀하고 견실한 측위정보를 획득한다. 이를 통해 간헐적인 측위정보 단락 구간에서도 상대적으로 강건하게 안정한 상태를 유지할 수 있다. 그 밖에도 인지 센서를 활용한 SLAM(Simultaneous Localization and Mapping) 기법이 있다.

(3) SLAM(Simultaneous Localization and Mapping)

SLAM은 사전에 구축된 고정밀지도를 기반으로 상대적으로 저렴한 인지 센서를 통해 검출되는 값으로 측위 오차를 보정하는 방식을 의미한다. 사용하는 맵의 정밀도와 실시간 검출 센서의 정밀도에 따라서 측위정보의 정밀도가 비례하는 결과를 갖지만 실시간 검출 데이터의 양이 많을 경우 실시간 보정 능력이 저하되는 단점이 있다. 하지만 위성항법장치를 사용하지 않아도 활용 가능한 이점을 사용하여 실내 환경에서도 사용할 수 있다는 장점이 있다.

3) 경로추종

경로추종이란 주어진 경로를 올바르게 추종할 수 있도록 유도하는 것을 의미하는데 자율주행에서 경로추종은 주어진 경로를 주행할 수 있는 조향각 생성까지를 의미한다. 조향각 산출을 위해서는 다양한 센서가 사용된다. 인지 센서를 통한 조향각 생성에는 카메라 및 라이다가 주로 사용되며 실시간으로 검출되는 차선 및 거리 정보를 통해 조향각을 생성한다. 위성항법장치를 사용한 조향각 생성 방법에는 대표적으로 기하학적 경로추종 방식이 있으며, 인지 센서를 통한 방식과의 가장 큰 차이점은 주행해야 하는 경로정보를 사용하는 데 있다. 주행해야 하는 경로정보를 사용한다는 것은 목적지가 있다는 의미다. 기하학적 경로추종의 대표적인 방법에는 순수추적(Pure Pursuit), 스탠리 방법(Stanley Method), 벡터추적법(Vector Pursuit) 등이 있다.

(1) 순수추적(Pure Pursuit)

순수추적은 기하학적 경로추종 방식의 대표적인 방법으로

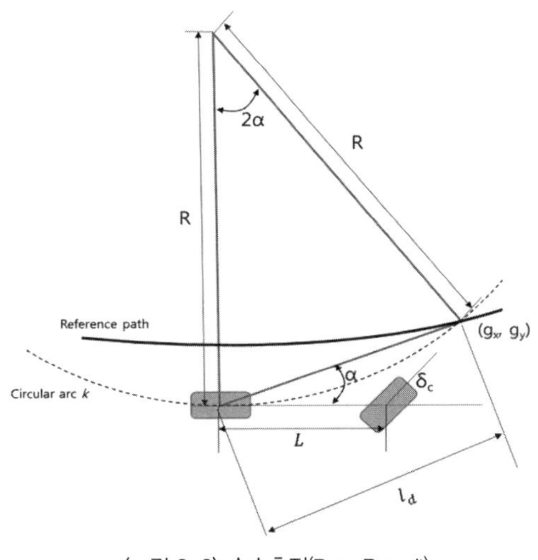

〈그림 2-3〉 순수추적(Pure Pursuit)

추종하는 경로와 현재 측위정보를 사용하여 추종 경로를 주행할 수 있는 조향각을 산출한다. 이때, 가장 큰 특징으로는 Look-ahead Distance를 사용하는 것으로 차량의 후륜축을 기준으로 LD(Look-ahead Distance)만큼 떨어진 지점에 가장 가까운 경로상의 한 점을 목표로 하는 조향각을 산출하게 된다. 이때 생성되는 조향각은 해당 경로를 주행하는 대상의 기하학적 구속조건을 반영하여 계산된다. LD는 사람이 주행할 때 고속 주행일 경우 먼 지점을 바라보고, 저속 주행일 경우 가까운 지점을 바라보는 개념과 비슷하다. LD의 길이가 길수록 추종 경로와 현재 측위정보 사이에 존재하는 횡방향 오차를 줄이기 위한 보정 과정이 천천히 수행된다. 따라서 자율주행을 위해서는 해당 플랫폼의 기하학적 구속

조건을 정확하게 파악하고 그에 맞는 최적의 LD를 선정하여 적용할 필요가 있다. 〈그림 2-3〉은 순수추적 알고리즘을 표현하는 기하학적 그림이다.

(2) 스탠리 방법(Stanley Method)

스탠리 방법은 또 다른 기하학적 경로추종 알고리즘으로서 다르파 챌린지에서 스탠포드 대학교의 자율주행차량에 적용되었던 방식이다. 순수추적과의 가장 두드러진 차이점은 순수추적은 후륜축 중앙이 차량의 현재 위치인 반면에, 스탠리 방법은 전륜축 중앙 점을 차량의 현재 위치로 두며 LD를 사용하지 않는 점이다. 경로에서 전륜축 중앙 점까지의 최단 거리를 횡방향 오차로 정의하고, 이를 줄여 가는 데 목적을 둔 경로추종 알고리즘으로서 순

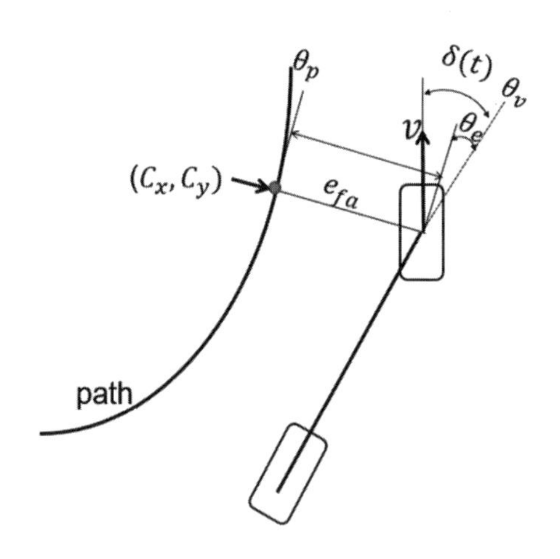

〈그림 2-4〉 스탠리 방법(Stanley Method)

수추적이 LD라는 거리정보만을 사용해 경로상의 한 점을 목표점으로 조향각을 산출하지만, 스탠리 방법은 전륜축 기준으로 가장 가까운 경로상의 한 점의 방위 정보(Direction)를 고려하여 조향각을 산출한다. 〈그림 2-4〉는 스탠리 방법의 기하학적 방법을 나타낸 그림이다.

(3) 벡터추적법(Vector Pursuit)

벡터추적법은 앞서 소개된 두 가지 방식의 장점을 융합한 기하학적 경로추종 알고리즘으로서 순수추적의 LD 개념을 통해 추종해야 하는 경로정보를 미리 보는 장점이 있고, 스탠리 방법의 추종 경로의 방위정보를 고려하는 장점을 사용한다. 이를 수행하기 위해 새로운 LD가 놓여질 LDP(Look-ahead Distance Point)를 계산해야 하며 이 과정에서 차량을 하나의 강체로 가정하고, 차량의 운동을 일시적인 회전과 병진운동으로 표현한 나사이론(Screw Theory)을 사용한다. 벡터추적법은 운동학적 구속조건을 부여하기 위해 이 나사이론을 적용하며 나사를 계산하는 과정에서 운동객체의 기구학적 구속조건을 처음부터 고려하는지 나중에 고려하는지의 여부에 따라 Method 1과 Method 2로 나뉜다. 처음부터 구속조건을 고려해 나사를 계산하는 방식인 Method 2의 경로추종 성능이 더 우수하다. 〈그림 2-5〉는 간략하게 벡터추적법의 Method 2 방식을 표현한 그림이다.

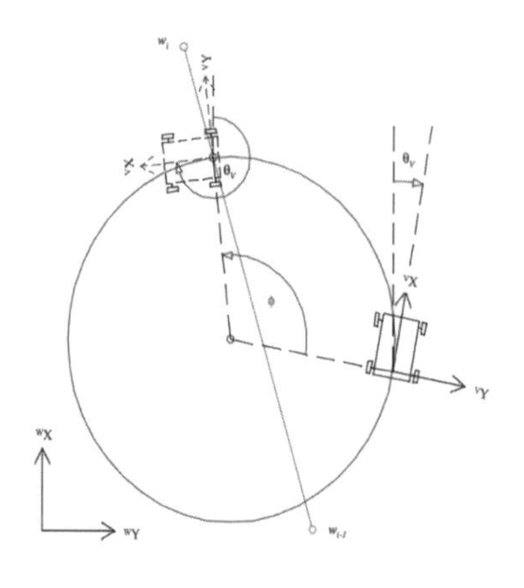

〈그림 2-5〉 벡터추적법(Vector Pursuit)

2. 자율주행자동차 기술 요소: 인지

인지(Perception)란 주행에 필요한 외부정보를 획득하는 과정으로 사람의 감각기관이 하는 역할에 해당한다. 다양한 센서가 현재 ADAS 및 자율주행을 위해서 사용되며 〈표 2-1〉은 현재 차량에 사용되는 인지 센서를 나열한 표이다.

인지 센서를 통해 획득되는 다양한 정보를 통해 자율주행 시 주변 도로상황을 판단할 수 있다. 각각의 센서로부터 고유한 특성에 따라 획득되는 원시 데이터(Raw data)에서 필요한 정보를 추출하기 위해서는 원시 데이터를 가공하는 과정이 필요하다. 자율

〈표 2-1〉 국민대학교 자율주행자동차에 사용된 인지 센서

센서	제작사	모델명
Camera 센서	Allied Vision	Prosilica GT1290c
LiDAR 센서	Sick	LD-MRS
		LMS-111
		LMS-511

주행에 활용되는 인지 센서는 앞에서 언급한 바와 같이 크게 레이더, 라이다, 카메라 등으로 분류할 수 있다.

레이더와 라이다는 자율주행에 있어 무인 이동체가 현재 자신의 위치와 장애물을 인식하기 위해 사용된다. 레이더는 무선탐지와 거리측정(Radio Detection And Ranging)의 약어로 마이크로파(극초단파, 10cm~100cm 파장) 정도의 전자기파를 물체에 발사시켜 그 물체에서 반사되는 전자기파를 수신하여 물체와의 거리, 방향, 고도 등을 알아내는 무선감지장치다. 자율주행 시 주변 장애물과의 거리를 검출하는 장비로 사용된다. 레이더의 특성상 획득할 수 있는 정보는 장애물의 형상과 거리정보에 국한된다. 그러므로 신호등의 상태와 표지판 및 차선 정보 등의 색과 관련된 정보를 획득할 수 없다. 따라서 레이더를 통한 주변 도로상황에 대한 정보를 획득하는 데에 한계가 있다고 볼 수 있다. 레이더 센서의 특성은 10cm~100cm의 파장의 극초단파를 사용함으로써 장애물과의 거리의 오차가 크게 발생한다. 따라서 원시 데이터 획득 시 전처

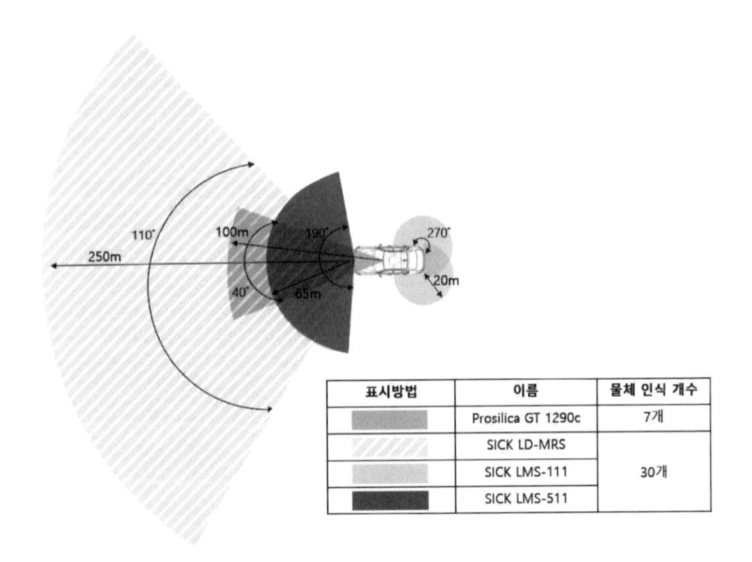

표시방법	이름	물체 인식 개수
	Prosilica GT 1290c	7개
	SICK LD-MRS	30개
	SICK LMS-111	
	SICK LMS-511	

〈그림 2-6〉 인지 센서를 차량에 장착했을 때 감지거리 예시

리 과정으로 검출된 거리의 오차를 줄여주기 위한 필터링이 필수적으로 적용되어야 한다. 전처리 과정을 거친 데이터에서 여러 알고리즘을 통해 많은 정보들을 획득하고 활용할 수 있다.

라이다(Laser Radar, Light Detection And Ranging) 센서는 레이저를 발사하여 산란되거나 반사되는 레이저가 돌아오는 시간과 강도, 주파수의 변화, 편광 상태의 변화 등으로부터 측정 대상물의 거리와 농도, 속도, 형상 등 물리적 성질을 측정하는 기법이 적용된 장치로 레이더와 비교하여 매우 정밀한 거리를 검출할 수 있는 장치다. 라이다는 단일 채널과 다중 채널로 구분된다. 채널은 실제 글로벌 좌표에서 상하 방향으로 검출할 수 있는 층의 개수를 의미한다. 채널에 따라 같은 장애물에 대해 검출되는 원시 데이터가 다르기 때문에 적용되는 알고리즘도 달라질 필요가 있다.

레이더와 라이다 같은 센서를 활용하기 위한 수많은 알고리즘이 개발되고 있다. 구글은 벨로다인(Velodyne)사의 64채널 라이다를 사용하여 자율주행에 사용될 정밀지도를 구축하는 방식을 사용하고 있다. 정밀지도는 인근지역 정보를 비교하여 라이다와 레이더의 두 정보의 정합성 등 다양한 비교와 분석을 통해 위치 인식, 최적 경로 생성 등 다양한 판단을 하는 데 도움을 준다. 포드는 라이다를 사용하여 2016년 4월 카메라를 사용할 수 없는 어둠속에서 자율주행하는 데 성공했다. 또한 인도에서 열린 오토 엑스포 2016(Auto Expo 2016)에서 32채널 라이다를 사용하여 THRSL사가 Vehicle-Novus라는 무인 셔틀을 선보였다. 라이다 또는 레이더는 도로 위의 운송수단 외에도 많은 분야에서 적용된다. 화성 및 수성 관측위성과 피닉스(Phoenix) 등과 같은 탐사선들에서도 대부분 라이다 센서 기술이 활용되고 있다.

자율주행에 있어 라이다가 부각됨으로써 국내에서도 연구개발에 박차를 가하고 있다. KETI(전자부품연구원)은 2016년 1월 자율주행자동차에 필요한 라이다 센서의 광학엔진 플랫폼을 국산화했다고 밝혔다. 또한 국토교통부에 첫 자율주행자동차로 등록된 현대자동차의 제네시스 EQ-900에도 라이다를 장착하여 알고리즘 개발에 박차를 가하고 있다.

레이더 및 라이다와는 달리, 카메라는 색 정보 기반의 원시 데이터를 획득할 수 있다. 왜곡된 2차원 형식의 원시 데이터에서도 여러 알고리즘을 통하여 활용할 수 있다. 현재 카메라를 활용한 알고리즘이 ADAS에 많이 적용되고 있다. 차선 인식, 야간광원 인식, 차량 인식, 교통표지판 인식, 보행자 인식 등의 기술이 개발되어 있다. 앞의 주행에 대한 정보를 인지하는 과정을 거친 후 자율주행자동차의 향후 경로 및 주행 판단 과정에 대한 연구도 활발히 진행되고 있다. 카메라 센서에 관한 알고리즘을 연구개발 중인 대표적인 기업으로 모빌아이(Mobileye)사가 있다. 모빌아이사가 보유한 대표적인 기술에는 전방충돌 경고(FCW), 보행자 충돌 경고(PCW), 차선 이탈 경고(SDW), 차간 거리 모니터링(HMW) 등이 있다. 앞에서와 같이 카메라 센서를 통하여 수많은 주행 환경을 판단할 수 있다. 하지만 카메라 센서의 특성 때문에 주행 환경의 영향이 크다. 빛의 양이 적은 야간이나 우천 시 카메라 센서의 효율이 현저히 낮아진다. 이러한 문제점을 해결하기 위해 적외선 센서, 온도 센서 등 다양한 센서들을 활용하는 연구도 활발히 진행되고 있다. 하지만 다른 센서도 마찬가지로 각 센서의 특성에 대한 제한적인 정보를 갖는다.

레이더와 라이다는 글로벌 좌표계의 3차원 원시 데이터를 왜곡 없이 획득할 수 있는 반면 단안카메라 센서는 3차원 정보가 왜곡되어 2차원의 형식으로 원시 데이터를 획득한다. 원시 데이터를 왜곡 보정의 전처리 과정을 통해 보정한 후 3차원 정보를 활용하는 연구도 활발히 진행되고 있다. 두 차원의 공간에서 각기 획득할 수 있는 정보가 다르기 때문에 목적에 따라 데이터를 획득할 차원을 선택해야 한다. 하지만 단안카메라로 3차원의 정확한 데이터를 획득하기에는 한계가 있다. 이 한계를 극복하기 위하여 스테레오 카메라를 사용한다. 스테레오 카메라는 동시에 2장의 화상을 얻을 수 있도록 만든 특수카메라이다. 2개의 촬영용 렌즈를 일정 간격으로 띄어놓고 같은 물체를 촬영한 후 영상 간의 차이를 분석하여 깊이 값을 측정한다. 이 방법은 사람의 두 눈으로 물체를 입체시하고 원근을 판단하는 원리와 같다. 하지만 스테레오 카메라 또한 여러 개의 매개변수를 찾는 과정에서 오차가 발생하고 그로 인해 작지 않은 깊이 값의 오차를 발생시킨다.

단일 센서를 사용함에 있어 위와 같은 문제점은 항상 존재한다. 그래서 이러한 단점을 해결하기 위하여 다양한 인지 센서를 융합할 필요성이 부각되고 있다. 센서의 장착 위치와 특성을 고려하여 각각의 정보를 융합하면 단일 센서의 단점을 보완할 수 있다. 카메라와 라이다 센서 융합, 카메라와 위성항법장치 센서 융합을 예로 들 수 있다. 라이다 센서에서 획득한 단일채널 또는 다중채널의 데이터를 카메라에서 획득한 영상에 투영하여 깊이 정보를 획득하는 알고리즘을 활용하여 자율주행자동차에 적용하는 사례를 흔히 볼 수 있다. 또한 위성항법장치 센서에서 원시 데이터를 획득하고 가공한 지리정보시스템 정보를 영상에 투영하여 깊이 정보 외에도 많은 추가적인 정보를 획득할 수 있다. 센서 융합의 또 다른 장점은 알고리즘의 실시간 처리속도가 향상된다는 점이다. 단안카메라 센서에서 깊이 정보를 획득하기 위해서는 복잡한 알고리즘이 적용되어야 한다. 그러므로 당연히 시스템의 처리속도는 현저히 느려진다. 하지만 센서를 융합하면 각각의 단일 센서에서 비교적 단순한 알고리즘을 적용하여 융합하기 때문에 처리속도의 능률을 극대화시킬 수 있다.

도요타사는 카메라와 라이다를 통합하여 새로운 통합센서 모듈인 다기능 카메라-라이다(MFL)를 개발하여 활용하고 있다. 포드사는 어둠속에서의 자율주행을 성공했다. 성공을 가능케 한 기술은 빛이 없는 어둠속에서도 라이다 센서에서 나오는 파동을 이용해 3차원 지도에서 차량의 위치를 실시간으로 파악하고, 레이더에서 감지된 추가적 데이터가 라이다 센서의 정보와 융합되면서 감지 능력을 구현한 데에 있다.

3. 자율주행자동차 기술 요소: 판단

판단(Decision Making)은 자율주행의 최종 수행단계로 판단 능력의 수준에 따라서 자율주행단계를 나눌 수 있다. 〈그림 2-7〉은 미국 도로교통안전국(National Highway Traffic Safety Administration, NHTSA)에서 정의한 자율주행단계(Automated Driving Level)를 나타낸 것이다. 0단계는 자동화 기술이 적용되지 않은 자동차를 말하고 1단계부터 4단계에 가까워질수록 자율주행 기술이 적용된 자동차를 의미한다. 일반적으로 자율주행이란 자율주행 3단계 이상을 말한다.

자율주행 3단계인 제한적 자율주행과 4단계인 완전 자율주행의 가장 큰 차이는 자율주행자동차가 스스로 판단하는 Decision

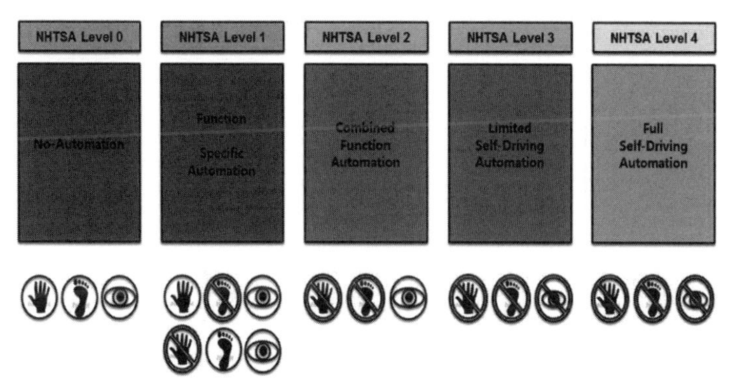

〈그림 2-7〉 미국 도로교통안전국(NHTSA)이 정의한 자율주행 기술단계

Making 기술 차이다. 또한, 이러한 판단기술은 운전자의 행동 범위에 따라 판단하는 영역이 달라지는데 〈그림 2-7〉에서 보는 바와 같이 일반적인 3단계 자율주행은 운전자의 횡방향 제어인 스티어링 휠 조작이나 종방향 제어인 가속/감속 페달의 조작이 필요없지만 운전자의 시야만큼은 제한적으로 운전에 관여하고 있어야 한다. 하지만 완전 자율주행인 4단계는 이러한 운전자의 시야조차도 자율주행자동차 스스로 판단하는 것을 의미한다. 자율주행에 있어 판단이란 쉽게 말하면 운전자의 행동 결정권으로부터 이뤄지는 모든 행위를 말한다. 행동 결정권이란 예를 들어 현재 자동차가 주행 중인 차선으로 다른 자동차가 접근해오면 반대 차선으로 변경을 할 것인지, 가속을 통해 먼저 앞서 갈 것인지 또는 브레이크 페달을 밟음으로써 다가오는 자동차에게 양보를 할 것인지를 말한다. 이러한 기초적인 판단을 통해 결정을 내리기 위해서는 인지(Perception)로부터 외부의 정보를 받고 자동차가 스스로 정보

에 의미를 부여함으로써 궁극적으로 판단하기 위한 데이터를 가공하는 것이라 볼 수 있다.

자율주행에 있어서 판단은 바라보는 시각에 따라 그 범위와 의미가 달라진다. 자율주행 3단계와 4단계의 차이점, 공통점과 같은 맥락이다. 그렇기 때문에 자율주행 3단계와 4단계에 대한 Decision Making 기술을 다르게 볼 필요가 있다. 먼저 자율주행 3단계의 기술들은 운전자의 편의를 도와주는 보조 시스템들에 대한 기술들이 주를 이룬다. 이에 관련하여 몇 가지 예를 들면 주차를 도와주기 위한 후방 거리감지 센서도 어떤 거리에 의해 경보를 울릴지에 대한 판단기술들이 적용되었고, 자동차의 좌/우 사이드 미러에 표시되는 경고 장치 또한 어떤 차간거리에 의해 경보를 활성화할지에 대한 판단기술이 적용되었다. 이러한 판단기술들의 공통점은 운전자에게 결정권한이 있다는 점이다. 다양한 정보들을 수집하고 각 기술들에 대한 별도의 판단기술들이 적용되어 있다. 이는 아우디, 벤츠, 테슬라 등 다양한 자동차 업체들이 적용하고 있는 제한된 자율주행 기술을 아우르는 것이다. 반면에 자율주행 4단계에 있어서 우리가 가장 주목해야 할 점은 운전을 기반으로 전반적인 결정권한이 자동차에 있다는 점이다. 운전자에게서 결정권한을 자동차로 이전하는 것은 매우 어렵고 복잡한 기술들이 필요하지만 핵심은 '자동차의 학습'에 있다. 숙련된 운전 실력을 가진 사람과 같은 결정을 내리고, 위험상황을 판별하는 것은 반복된 데이터의 학습이 필수적이다. 구글 사와 같은 완전 자율주행을 목표로 하는 업체들 또한 다수의 자율주행자동차를 이미 실제 도로에서 실험하고 주행하고 데이터들을 획득하고 있다. 획득된 데이터는 일회성으로 소모되는 것이 아닌 앞으로의 더 나은 자율주행을 위한 바탕이 되고 있다. 이는 인공지능이라 불리는 AI(Artificial Intelligence)가 적용되고 있다는 것이다.

오래전 '딥 블루 프로젝트'에 의해 인간은 더 이상 컴퓨터를 상대로 체스를 이길 수 없는 것으로 결정되었다. 이는 인류에게 엄청난 충격을 선사했고 컴퓨터가 인류를 지배하는 어두운 미래가 다가올 수 있다고 말했지만 그런 일은 일어나지 않았다. 그 이유는 인공지능이 스스로 학습할 수 없기 때문이었다. 비단 컴퓨터가 인류보다 체스를 잘 둘지는 모르지만 체스 이외의 종목은 컴퓨터가 할 수 없기 때문이다. 체스를 시작으로 이후 장기 등과 같은 수많은 '경우의 수'를 따지는 종목들은 컴퓨터가 점점 우위에 섰지만 바둑만큼은 인류가 더 우월하다는 자신감이 있었다. 하지만 알파고의 등장으로 컴퓨터가 정복 불가능이라 여겨왔던 바둑 종목 또한 그 위기를 겪고 있다.

자율주행과 알파고가 무슨 관계일까 싶지만 0과 1밖에 모르는 컴퓨터로 해결하기 힘들었던 '빅 데이터'를 관리하고 가공이 가능해졌다는 점은 인공지능 기술이 그만큼 크게 발전했음을 뜻한다. 지금까지의 '데이터 학습'에 있어서는 설계자가 어떤 항목에 대해 학습을 할 것인지 학습 지도가 필수적이었다. 영상처리 분야에 있어 '강아지', '사람', '자동차' 등과 같은 학습 항목을 정해주고 이와 관련된 수십만 개의 영상 데이터를 입력함으로써 다른 영상에서도 자동차인지 아닌지 분류할 수 있도록 학습시켰다. 이를

'지도학습'이라 부른다. 하지만 컴퓨터 하드웨어 성능이 발달하고 빅 데이터 처리가 가능해진 지금 더 이상 '지도 학습'이 아닌 '비지도 학습'이 화두이다. 비지도 학습이란 어떤 데이터의 유형을 정하지 않아도 컴퓨터 스스로 데이터들을 분류하고 이들을 각각 다르게 학습하는 것을 말한다. 이러한 과정은 우리 인간이 유아기를 거쳐 사물들을 분류하고 어떤 새로운 것을 접하더라도 쉽게 항목으로 분류하는 과정과 유사하다.

자율주행 4단계를 위한 다양한 업체들의 수많은 노력은 바로 이러한 비지도 학습을 통한 자율주행 운전역할 수행에 있다. 제한된 상황과 정해진 시나리오가 아닌 일반적인 도심지 자율주행을 위해서는 이러한 비지도 학습이 필수적이다. 구글사는 어떤 지역에서만 통용되는 다양한 도로 규칙들이 존재하지만 강력한 비지도 학습을 통해 안전한 주행을 보장한다고 밝혔다. 심지어 도로 위에 오리가 갑자기 나타나는 상황이라도 말이다.

또한, 그래픽카드 제작업체로 유명한 엔비디아(NVIDIA)사는 자율주행을 위한 다양한 기술과 하드웨어 플랫폼을 제공하면서 강력한 자율주행 기술보유 업체로 떠올랐다. 비지도 학습이 가능한 소프트웨어부터 자동차 Cockpit System까지 지원하는 NVIDIA AUTOMOTIVE는 자동차가 보고, 생각하고, 학습하는 것을 목표로 하고 있다. 비록 판단(Decision Making)과 관련해서 정확한 기술들을 업체들이 공개하지는 않지만 컴퓨터 하드웨어의 발전으로 비지도 학습이 가능해진 것은 기본 바탕으로 생각될 수 있다. 운전을 처음 하는 사람 또한 많은 연습 시간을 통해 운전을

〈그림 2-8〉 엔비디아(NVIDIA AUTOMOTIVE)의 '드라이빙 이노베이션(Driving Innovation)'

학습하는 것처럼 비지도 학습을 이용하여 인공지능이 스스로 운전을 학습하는 것이 완전 자율주행을 가능하도록 만드는 주된 요인으로 생각된다.

자율주행자동차가 상용화될 시점은 생각보다 빠르게 다가오고 있다. 앞서 소개한 기술과 원리는 더 나은 안정성과 정밀도를 갖는 방향으로 진화하고 있고, 사회적 대응과 지원 역시 발 빠르게 준비되고 있기 때문이다. 탈 것으로써의 자동차는 기술적 혁신을 거듭하고 처음 문화적 혁명을 이룩한 그때와 비슷하게 새로운 문화적 혁명을 예고한다.

2부

자율주행자동차 시대의 법 제도

3장
자율주행자동차 입법안의 실험적 구성과 실무적 쟁점

김경환 · 심우민

2016년 9월 15일 중국 허베이성 23번 도로에서 '오토파일럿' 기능을 켜고 운행을 하던 테슬라의 모델 S 차량이 전방에서 운행 중이던 트럭을 피하지 못해 충돌하여 운전자가 사망하는 사고가 발생하였다. 운전자의 유가족은 테슬라 S 차량의 '오토파일럿'의 오작동을 문제 삼은 반면, 테슬라는 '오토파일럿'과 사고와는 연관성이 미흡하다는 주장을 펴고 있다.[1]

이러한 형태의 사고는 이전에도 있었다. 2016년 5월 7일에도 미국 플로리다 주에서 테슬라 S 차량의 '오토파일럿' 기능을 켠 채 운전하던 운전자가 사망하는 사고가 발생하였다. 당시 옆면이 흰색인 대형 트레일러가 좌회전하며 테슬라 차량 앞을 지날 때 오토파일럿 시스템이 햇빛과 트레일러의 흰색을 구분하지 못해 사고가 일어난 것이다. 이 사고에 대하여도 테슬라는 오토파일럿이 제대로 작동하지 않았다는 증거는 없으며, 오히려 운전자의 부주의

로 인하여 사고가 발생했다는 주장을 펴고 있다.[2]

테슬라 차량에 장착된 '오토파일럿'이 기술적 의미의 자율주행 기능인지 여부에 대해서는 부정적인 견해가 다수이지만, 위 두 가지 인명사고는 자율주행자동차와 관련해서 앞으로 발생할 수 있는 법적 이슈의 예시로 볼 수 있고, 사고 발생 시 법적 책임 등 아직 걸음마 단계인 자율주행자동차 관련 법적 이슈에 대한 연구를 촉진시킬 것으로 예상된다.

이 글에서는 자율주행자동차 관련 입법안을 실제로 만들어보면서 입법 시 발생하는 실무적 쟁점을 짚어보고자 한다. 현재 우리나라 자동차 입법은 여러 가지로 개별법으로 나누어져 있다. 예컨대 자동차에 관한 내용은 「자동차관리법」으로, 운전자에 관한 내용은 「도로교통법」 및 「교통사고처리특례법」으로, 자동차보험 및 손해배상에 관한 내용은 「자동차손해배상보장법」으로, 도로 등에 관한 내용은 「도로법」, 「국가통합교통체계효율화법」 등으로 나누어져 있다.

다음에서는 자동차에 관한 여러 영역을 하나로 묶는 일종의 입법실험을 수행할 것이며, 법률 제명을 「자율주행자동차법」이라고 잠정적으로 칭하고자 한다. 「자율주행자동차법」에서는 기존의 개별법에서 다루던 내용 중 자율주행자동차에도 적용할 수 있는 내용은 그대로 포섭하면서, 더불어 자율주행자동차에만 적용되는 내용은 새로이 규정하는 방식을 취하였다. 이러한 논의는 향후 자율주행자동차 입법과 연계된 담론을 위한 일종의 제안 및 실험으로 확정적인 대안을 주장하는 것은 아니다. 다만 이를 통하여 자율주행자동차 관련 입법의 실무적 쟁점들을 명확히 할 수 있을 것이라 생각한다.

1. 자율주행자동차법의 실험적 구성

1) (가칭) 자율주행자동차법

법명은 「자율주행자동차법」이라고 칭하였다. 「자율주행자동차법」에는 자율주행자동차에 관한 모든 내용이 포함되어 있는데, 예컨대 자율주행자동차의 안전기준뿐만 아니라 자율주행시스템 제조사가 준수하여야 할 사항, 운전자가 준수하여야 할 사항, 나아가 도로나 시설, 교통체계 등의 모든 요소를 하나의 법에 포함했다. 다만 자율주행자동차에 관한 내용은 기존의 「자동차관리법」을 완전히 배제할 수 없기에 많은 부분을 준용했다. 자율주행시스템 제조사 또는 운전자가 준수하여야 할 사항도 기존의 「도로교통법」의 내용을 토대로 했다. 더불어 민사적 손해배상이나 형사적 처벌에 대하여는 「자동차손해배상보장법」, 「교통사고처리특례법」 등을 참조하였다.

이미 언급했듯이 자동차에 관한 사항은 「자동차관리법」에, 도로에서의 룰에 관한 사항은 「도로교통법」에 각각 존재하기에 수범자 입장에서는 양 법률을 모두 참조해야 하는 불편함이 있다. 이번 「자율주행자동차법」에는 이러한 불편을 덜고 기왕의 공급자 중심의 법체계에서 벗어나 수요자 중심의 법체계를 시도해 보았다.

2) 공동소관 법률

기왕의 공급자 중심의 법체계에서 벗어나 수요자 중심의 법체계가 되기 위해서, 「자율주행자동차법」은 공동소관 법률로 만드는 것이 타당하다. 공동소관 법률이란, 하나의 부처 또는 하나의 과가 특정 법률을 관장하는 것이 아니라, 모든 자율주행자동차 관련 부처 또는 과가 하나의 법률을 관장하면서, 그 안에서 특정 절 등을 소관하는 형식을 의미한다. 지금도 몇몇 법률들은 공동소관 형식을 띠고 있지만, 이러한 형식이 일반적이지는 않다. 하지만 제4차 산업혁명적 융합 시대에 있어 시대적 요청을 무시할 수 없고, 특히 수요자 중심에서 사고한다면 앞으로 이러한 공동소관 법률이 주된 입법 형식이 되어야 할 것으로 보인다.

이러한 공동소관 법률은 필연적으로 수요자 중심의 법률 형태가 될 수밖에 없고, 수범자 입장에서는 하나의 법률만 참조하면 되므로 편이성이 극대화되고 그에 따라 사실적인 법규범력도 강화될 수 있을 것이다.

「자율주행자동차법」은 국토교통부와 경찰청의 공동소관 법률 형식을 띠고 있다.[3] 자동차에 관한 사항은 국토교통부가, 사람에 관한 사항은 경찰청이 구분하여 규율하는 현 체계에서 벗어나 「자율주행자동차법」에서는 하나의 법률에서 물적 · 인적 요소를 모두 규율하고자 한다.

3) 법률안의 편제

여기서 제안하는 법률안은 다음과 같은 편제를 취하고 있다. 제1장 총칙, 제2장 자율주행자동차, 제3장 운전자와 자율주행시스템, 제4장 보험, 사고와 책임, 제5장 도로와 시설, 교통체계, 제6장 자율주행자동차 관련 사업, 제7장 보칙, 제8장 벌칙이 그것이다.

「자율주행자동차법」은 자율주행자동차 영역, 운전자와 자율주행시스템 영역, 사고와 책임·보험 영역, 도로와 시설 영역, 서비스 영역, 보칙과 벌칙으로 구분하여, 제1장의 총칙부터 마지막 제8장 벌칙으로 이루어져 있다. 이러한 법체계를 근간으로 하여, 이 글에서는 법리상 중요한 조문만을 만들었고, 구체적이고 세부적인 조문은 차후의 과제로 남겨 두었다. 각 장의 내용을 살펴보면 다음과 같다.

제1장 총칙에서는 목적과 정의 규정이 포함된다. 기본계획이나 세부계획 등의 근거도 마땅히 포함되어야 하지만 이는 기술적인 내용이므로 여기서는 굳이 다루지 않았다.

제2장의 자율주행자동차 영역에서는 자율주행자동차에 관한 등록, 안전기준 등의 내용을 다룬다. 기존의 「자동차관리법」의 내용이 이 장에 대거 반영되었다.

제3장 운전자와 자율주행시스템 영역에서는 자율주행자동차를 조정하는 주체에 대한 내용을 다룬다. 기존의 「도로교통법」은 운전자의 의무를 중심으로 규율하고 있지만, 자율주행자동차에서는 의무를 져야 할 주체가 운전자가 아니라 자율주행시스템이다.

따라서 운전자의 의무를 어떻게 자율주행시스템에 반영시킬 수 있는지가 핵심적 고려사항에 해당한다. 자율주행시스템이 준수해야 할 내용이 기존 운전자의 의무사항과 달라지지 않을 것으로 보인다. 자율주행시스템은 이제 운전자를 대신하여 안전한 운행을 위해 노력하는 주체가 되어야 하고, 이러한 내용이 이 장에 반영되어야 한다.

제4장 보험, 사고와 책임 영역에서는 자율주행자동차로 인하여 발생하는 사고와 그에 따른 민사 · 형사 · 행정적 책임, 그리고 보험에 관한 내용을 다룬다. 보험은 「자동차손해배상보장법」을 참조하였고, 민사책임 역시 「자동차손해배상보장법」을 참조하였다. 형사책임은 「교통사고처리특례법」을 참조하여 자율주행자동차에 맞게 수정하였다. 다만 행정적 책임은 기술적인 내용이기에 여기서는 생략하였다.

제5장 도로와 시설, 교통체계 영역에서는 자율주행을 위한 도로 및 시설, 교통체계, ITS(지능형 교통 시스템, Intelligent Transport System)에 관한 내용을 다룬다. 자율주행자동차로 인하여 도로나 시설, 교통체계도 많은 변화가 예상된다. 다만 이 영역은 국가의 책무와 관련이 있기에 여기서는 생략하였다.

제6장 자율주행자동차 관련 사업 영역에서는 자율주행으로 인하여 파생되는 서비스에 관한 내용을 다룬다. 예컨대 차량공유서비스 등에 관한 내용 등이 포함되는 것이 바람직하다. 다만 이 영역은 차후 연구과제로 남겨 두었다.

제7장과 제8장은 보칙과 벌칙 영역으로서 여러 가지 행정적

기능이나 과태료, 과징금, 형사벌에 관한 사항이 포함된다. 제1장부터 제6장까지의 내용을 집행하는 영역에 해당한다. 이 부분 역시 기술적인 내용이기에 여기서는 생략하였다.

4) 법률안의 주요내용과 쟁점

(1) 총칙

제1조(목적) 이 법은 자율주행자동차 및 그 운전자 등에 관한 사항을 규정함으로써 안전하고 원활한 자율주행자동차의 운행을 도모하고 공공의 복리를 증진함을 목적으로 한다.

제1조는 통상 목적 규정으로 활용한다. 자율주행자동차법의 규정 사항은 물적 요소뿐만 아니라 인적 요소까지 모두 포함한다는 점을 분명히 하였다. 이 법의 목적은 안전성과 원활한 교통에 있음을 밝히고, 궁극적인 목적은 공공의 복리 증진에 있다.

제2조(정의) 1. "자율주행자동차"란 자율주행시스템이 장착되어 운전자의 적극적 · 물리적 조종 또는 주시 없이도 운행 가능한 자동차를 말한다.

2. "자율주행시스템"이란 운전자의 지속적이고 적극적인 제어 없이 주변 상황 및 도로정보 등을 스스로 인지하고 판단하여 자동차의 가 · 감속, 제동 또는 조향장치를 제어하는 기능 및 장치로서 국토

교통부령으로 정하는 운전 보조 시스템은 제외한 것을 말한다.

3. "자율주행 모드"란 자율주행시스템에 의하여 주행되는 작동모드를 말한다.

4. "수동운전 모드"란 운전자가 또는 원격으로 자율주행 모드 아닌 방법으로 운전하는 작동모드를 말한다.

5. "운전자"란 운전석에 착석하여 보조적으로 자율주행자동차를 운행할 수 있는 자를 말한다.

6. "제조사"란 자율주행시스템 제조사 또는 자율주행자동차 제조사를 말한다.

현행 「자동차관리법」 제2조 1의3호에서는 자율주행자동차를 정의하고 있는데, "운전자 또는 승객의 조작 없이 자동차 스스로 운행이 가능한 자동차"라고 정의한다. 매우 간단한 정의이지만 사실 모호하다는 문제점이 있다.

자율주행자동차에 대한 입법태도는 크게 두 가지 형태로 구분할 수 있는데, 첫 번째로는 '자율(autonomous)기술'이 탑재된 자동차라는 식으로 규정하여 '기술' 중심으로 기술하는 경우가 있고, 두 번째로는 자율적으로 운행이 가능한 자동차라는 식으로 '운행' 중심으로 기술하는 경우가 있다.

첫 번째 입법의 특징은 자율기술을 먼저 규정하고 자율기술이 탑재된 자동차를 자율주행자동차로 규정하고 있는바, 자율기술을 어떻게 정의하는지 또는 어느 범위까지 보느냐에 따라 자율주행자동차의 범위가 달라질 수 있다. 두 번째 경우는 운행 중심으로 규율하고 있어 자율기술에 대한 언급이 없다. 단지 자율적으로 운행이 가능하면 자율주행자동차로 본다는 점이 특징이다.

세계 여러 국가의 대다수의 입법례는 첫 번째 형식을 취한다. 즉 먼저 '자율기술'을 정의하고 그 다음에 '자율주행자동차'는 '자율기술'이 탑재된 자동차라고 정의하는 식이다. 하지만 우리나라에서는 이러한 점층적 구조를 취하지 않는다. 또한 입법례에 따라서는 '조작'을 한정해 '물리적' 조작이라 하든지 아니면 '적극적' 조작으로 표현하는 반면 우리나라 입법은 단순히 '조작'이라고 규정한다.

그러나 우리나라 정의규정대로 하면 '수동적' 조작을 포함하게 되는 문제점이 있다. 수동적 조작이라 함은, 예를 들어 차량에 타서 '목적지를 입력하는 것'을 조작에 포함할 수 있다는 것이다. 그럴 경우 완전한 형태의 자율주행자동차도 「자동차관리법」 제2조 제1의3호의 자율주행자동차에 포섭되지 않는 문제점이 발생하게 된다. 나아가 다른 입법례는 사람의 '조종(control)'과 '주시(monitoring)'를 구별하여 양자 중 하나만 결여되어도 자율주행자동차에 해당한다고 보는 것이 일반적인데, 우리나라 「자동차관리법」은 이를 구별하지 않고 단순히 '조작'이라고만 규정한 점도 특징이다. 우리나라는 사람의 '주시'는 빼고 단순히 '물리적 조종'만을 고려하는 것이다. 이로 인한 차이점은 큰데, 예컨대 운전자가 물리적 조종을 하지 않고 주시만 하고 있다면 자율주행자동차에 해당하지만, 반대의 상황인 지도를 보면서 물리적 조종은 하는데 주시를 하지 않는다면 자율주행자동차에 해당하지 않게 되는 문제점이 있다.

우리 법의 '스스로'란 표현도 모호하기 그지없다. 자율주행자동차의 '자율(autonomy)'이란 'auto + norm'의 결합으로서 사람의 지시 없이 입력된 프로그램대로 동작되는 것을 의미하는데, '스스로'란 문언은 너무 광범위해 이러한 '자율'을 의미한다고 보기는 어렵다. 나아가 다른 입법례에서는 '자율주행기술'을 규정하고 그다음에 '자율주행자동차'를 점층적으로 기술하고 있는데, 이렇게 점층적 구조를 취한 이유는 어떤 기술이 자율기술인지의 여부를 결정하는 것이 핵심이기 때문이다. 반면 우리 법은 자율기술에 대한 고민을 근본적으로 차단하고 있다.

위 문제점을 반영하여 자율주행자동차의 정의 규정을 만든바, '자율주행시스템이 장착되어 운전자의 적극적 · 물리적 조종 또는 주시 없이도 운행 가능한 자동차'가 그것이다. 다만 자율주행기술과 자율주행자동차의 점층적 구조가 아니라 자율주행시스템과 자율주행자동차의 점층적 구조를 취한 점이 외국 입법례와의 차이점이다. 문언적으로 기술과 시스템은 구별할 수 있지만, 실질적으로 차이는 크지 않아 보인다.

한편 자율주행시스템은 「자율주행자동차의 안전운행요건 및 시험운행 등에 관한 규정」의 제2조 제4호를 참조하였다. 자율주행시스템은 세 가지 요소로 구분할 수 있는데, 인지, 판단, 제어가 그것이다. 즉 주변상황 등을 인지하고, 인지한 결과를 토대로 판단하여 제어하는 것이 바로 자율주행의 요소이다.

다만 「자율주행자동차의 안전운행요건 및 시험운행 등에 관한 규정」의 제2조 제4호는 '운전자의 적극적인 제어 없이 주변 상황 및 도로정보를 스스로 인지하고 판단하여 자동차의 가·감속, 제동 또는 조향장치를 제어하는 기능 및 장치'로만 되어 있어, ADAS(첨단 운전자 지원 시스템, Advanced Driver Assistance System)와 같은 운전 보조 시스템도 포함되는 것처럼 해석될 여지가 있다. 이런 이유로 국토교통부령으로 정하는 운전 보조 시스템은 제외하도록 하였다.

자율주행자동차의 운행은 100% 자율주행시스템에 의하여 이루어지는 것은 아니다. 자율주행시스템의 오동작이나 장애 등의 사유가 발생하면 전통적인 수동 운전 방식이 적용되어야 한다. 이 때문에 자율주행자동차의 운행 방식을 '자율주행 모드'와 '수동운전 모드'로 구분하였다. 전자는 자율주행시스템에 의하여 주행되는 작동모드이고, 후자는 운전자가 또는 원격으로 자율주행 모드 아닌 방법으로 운전하는 작동모드이다. '수동운전 모드'에서 주의할 점은 운전자가 직접 운전할 수도 있지만, 원격에 의하여 운전될 수도 있다는 점이다. 예컨대 운전자의 의식이 없을 경우에는 원격으로 운전할 수도 있는데, 이 경우도 수동운전 모드에 해당한다. 자율주행 모드와 수동운전 모드는 사고 발생 시 책임을 귀속시키는 데 매우 중요한 근거가 된다. 자율주행 모드시의 사고 발생은 원칙적으로 제조사 등이 책임을 지지만, 수동운전 모드 시 사고 발생은 전통적인 법적용이 적용되는 것이 원칙이다.

도로교통법이 정한 의무를 준수할 자는 자율주행시스템과 운전자이다. 자율주행 모드의 경우는 자율주행시스템이, 수동운전 모드의 경우는 운전자가 도로교통법이 정한 의무를 준수하여야 한다. 자율주행시스템이 자율주행 모드에서의 판단의 주체라면, 운전자는 법의 적용 범위를 줄이기 위해서 운전석에 착석하였다는 것을 조건으로 하여 보조적으로 자율주행자동차의 운행에 관여하는 자로 한정하였다. 운전자 착석이라는 것은 지속적인 요건이 아니기에 운전석을 떠나 있다고 하더라도 한 번 착석하였다면 운전자의 전제 조건을 충족하였다고 봄이 타당하다.

(2) 자율주행자동차

제3조(자율주행자동차의 종류) ① 자율주행자동차는 다음 각 호와 같이 구분한다.

1. 부분 자율주행자동차: 자율주행 모드에서 자율주행시스템만으로 운행할 수 없어 운전자의 개입이 필요한 자율주행자동차를 말한다.
2. 완전 자율주행자동차: 자율주행 모드에서 자율주행시스템만으로 운행할 수 있어 운전자가 없거나 또는 운전자의 개입이 필요하지 않은 자율주행자동차를 말한다.

② 제1항에 따른 세부기준은 국토교통부령으로 정한다.

자율주행자동차의 종류를 부분형과 완전형으로 구분하였다. 부분형이 미국 도로교통안전국(NHTSA)의 3레벨에 해당한다면, 완전형은 4레벨 정도에 해당한다. 부분형과 완전형은 자율주행시스템이 장착되어 있기에 ADAS 시스템이 장착된 자동차와는 명확하게 구분된다.

부분형과 완전형의 구분은 매우 중요한 의미를 가지는데, 여기서는 자율주행 모드에서의 운전자 필수 개입 여부에 따라 구분하였다. 즉 자율주행시스템이 불완전하여 운전자의 개입이 예상되어 있다면 이는 부분형에 해당하고, 자율주행시스템이 완벽하여 운전자가 아예 없거나 운전자의 개입이 필요하지 않다면 완전형에 해당한다. 결국 기술의 발전 정도에 따라 부분형과 완전형으로 구분할 수 있다. 부분형은 반드시 운전자가 필요하기 때문에 운전자의 의무도 필수적으로 따라오게 된다. 완전형은 운전자라는 개념이 불필요하기에 원칙적으로 운전자의 의무는 고려하지 않게 된다.

부분형과 완전형은 행정적으로 매우 중요한 의미를 지닌다. 행정기관은 부분형과 완전형에 따라 규제와 규율을 달리할 수밖에 없다. 부분형은 인적 규제가 강화되어 있는 반면, 완성형은 물적 규제가 강화될 것으로 예상된다.

제4조(자율주행자동차의 등록) 자율주행자동차의 등록에 관한 사항은 자동차관리법 제2장을 준용한다.

자율주행자동차의 등록은 일반 차량 등록과 다르지 않다. 다른 등록원부를 사용할 수도 있고, 다른 자동차번호판을 사용할 수도 있지만 등록으로 법적 존재가 인정받는 것은 원리적으로 같다. 재산 가치가 있어 이전등록도 가능하고 압류도 가능하다는 점도 일반 차량과 다르지 않을 것으로 보인다.

다만 소유의 제한이 필요한지에 대하여는 기초적 검토가 필요할 수도 있다. 즉 자율주행자동차의 소유를 일부 법인에게만 허용하고 법인이 개인에게 임차하도록 할 것인지, 개인도 소유할 수 있도록 소유권을 확장할 것인지는 논의가 더 필요하다.

자율주행자동차의 안전기준, 특히 소프트웨어의 안전기준은 매우 중요한바 변조나 해킹 등의 방지 또는 효율적이고 안전한 관리를 위해서 관리주체나 소유주체를 한정해야 한다는 견해가 있을 수 있다. 다수가 이러한 견해를 지지한다면 개인은 자율주행자동차를 소유하거나 관리하지 못하는 상황이 발생할 수도 있다.

> 第5조(자율주행자동차의 안전기준 등) ① 자율주행자동차는 국토교통부령으로 정하는 구조 및 장치가 안전 운행에 필요한 성능과 기준(이하 "자동차안전기준"이라 한다)에 적합하지 아니하면 운행하지 못한다.
>
> ② 자율주행자동차에 장착되거나 사용되는 부품·장치 또는 보호장구(保護裝具)로서 국토교통부령으로 정하는 부품·장치 또는 보호장구는 안전운행에 필요한 성능과 기준(이하 "부품안전기준"이라 한다)에 적합하여야 한다.
>
> ③ 자율주행자동차는 아래 각 호의 안전운행요건을 갖추어야 한다.
>
> 1. 자율주행시스템에 고장이 발생한 경우 이를 감지하여 운전자에게 경고하는 장치를 갖출 것
>
> 2. 운행 중 언제든지 운전자가 자율주행기능을 해제할 수 있는 장

치를 갖출 것

3. 자율주행자동차임을 확인할 수 있는 표지(標識)를 자동차 외부에 부착할 것

4. 자율주행시스템에 원격으로 접근·침입하는 행위를 방지하거나 대응하기 위한 기술이 적용되어 있을 것

5. 자율주행자동차와 자율주행시스템이 장착되지 않은 차량 사이의 충돌을 방지할 수 있는 통신 기술이 적용되어 있을 것

6. 비상상황에서 원격으로 자율주행자동차를 조종할 수 있는 통신 및 제어 기술이 적용되어 있을 것

7. 그 밖에 자율주행자동차의 안전운행을 위하여 필요한 사항으로서 국토교통부장관이 정하여 고시하는 사항

자율주행자동차의 핵심은 안전기준(제1항)이라 할 수 있다. 아직까지 자율주행자동차의 안전기준은 제정되어 있지 않다. 이는 부품안전기준(제2항)도 마찬가지이다. 다만 제3항의 안전운행요건은 안전기준이나 부품안전기준과는 다른 논의이다. 제3항은 자율주행자동차의 임시운행허가 요건을 참조한 것인바, 현재 「임시운행허가의 안전운행요건은 자동차관리법 시행규칙」 제26조의2에 명기되어 있다.

안전기준이나 부품안전기준과 별개로 자율주행시스템이 갖추어야 할 안전운행요건이 바로 제3항의 요건인바, 제4호는 해킹에 대응하기 위한 것이고, 제5호는 V2V(Vehicle-to-Vehicle)의 통신기술을 일반 차량에까지 확대시킨 것이다. 제4호가 자율주행시스

템의 보안에 관한 것이라면, 제5호는 일반차량과의 충돌을 방지하기 위한 것에 해당한다. 제6호는 운전자가 의식을 잃는 등 비상상황에서 원격으로 자율주행자동차를 조종할 수 있는 기술에 관한 것으로서 자율주행자동차의 조종을 온전히 자율주행시스템이나 운전자에 맡길 수 없기 때문에 도입된 조문이다.

제6조(자율주행자동차의 점검, 정비, 검사) 자율주행자동차의 점검, 정비, 검사에 관한 사항은 자동차관리법 제5장 및 제6장을 준용한다.

자율주행자동차 역시 자동차의 한 부류이기에, 점검, 정비, 검사가 필요하고, 그 내용은 자동차관리법 제5장 및 제6장을 준용하면 될 것이다.

(3) 운전자와 제조사

제7조(제조사의 의무) ① 제조사는 자율주행시스템이 도로교통법 제3장의 자동차의 통행방법 등 및 제4장의 운전자의 의무의 내용을 준수하도록 조치하여야 한다.
② 제조사는 제1항의 조치를 함에 있어 자율주행시스템이 준수하여야 할 의무가 서로 충돌하는 경우의 조치를 포함하여야 한다.
③ 제조사는 제2항의 조치에 대하여 국토교통부 장관의 사전 승인을 받아 그 내용, 알고리즘 등을 공개하여야 한다.

자율주행자동차는 운전자의 역할을 자율주행시스템이 대신하게 된다. 따라서 운전자의 의무사항은 자율주행시스템의 준수사항으로 이전된다. 도로교통법 제3장은 자동차의 통행방법 등에 관한 것이고(예컨대, 주행속도 등), 제4장은 운전자의 의무에 관한 것이다(예컨대, 무면허운전 금지 등). 제3장 및 제4장의 내용이 모두 자율주행시스템에 해당하는 것은 아니지만, 대체로 자율주행시스템에 프로그래밍이 되어야 할 내용이다. 즉 자율주행시스템은 법정 속도를 준수하고 안전거리를 확보하도록 프로그래밍이 되어야 한다. 제1항은 이러한 내용을 명기한 것이다.

제2항은 동시에 두 가지 이상의 의무가 충돌하는 경우, 예컨대 교차로에서 갑자기 신호등이 붉은 색으로 바뀐 경우, 교차로에서 정지하는 것은 금지된다는 의무와 신호등이 붉은 색이면 정지해야 된다는 의무가 충돌할 수 있다. 이러한 상황에 대하여 미리 프로그래밍을 해 놓지 않는다면 붉은 등을 인식한 자율주행자동차는 어리석게도 교차로 한가운데서 정차할지도 모른다. 이것은 결코 바람직하지 않고 당연히 알고리즘으로 극복되어야 하는 문제임이 틀림이 없다. 자율주행자동차의 의무충돌 문제는 트롤리 딜레마에서 잘 드러난다. 자율주행자동차가 좌측으로 운전대를 꺾으면 한 명의 목숨을 앗아가고, 직진하면 열 명의 목숨을 앗는 상황에서 자율주행시스템은 어떤 선택을 해야 할 것인지가 바로 트롤리 사례이다.

제2항의 문제를 해결하는 방법은 국가가 미리 알고리즘을 만들어 기업에게 강제하는 방법도 있지만, 이러한 방법보다는 기업

이 스스로 알고리즘을 선택할 수 있도록 하는 것이 바람직하다. 물론 기업이 선택한 알고리즘은 반드시 국가가 승인해야 하고 일반 대중에게 공개해야 한다. 일반 대중에의 공개는 운전자의 선택권을 보장하는 차원에서 필요할 것으로 보인다. 기업이 선택한 알고리즘은 보험사의 보험료 결정에도 일정한 역할을 할 것으로 보인다. 이러한 내용은 제3항 그리고 제10조 제4항에 반영되어 있다.

> 제8조(부분 자율주행자동차의 운전자의 의무) ① 부분 자율주행자동차의 운전자는 운전자석에 지속적으로 착석하여 자율주행자동차 또는 자율주행시스템이 도로교통법 제3장의 자동차의 통행방법 등 및 제4장의 운전자의 의무를 준수하는지 등에 대하여 주시하여야 한다.
> ② 부분 자율주행자동차의 운전자는 자율주행시스템이 도로교통법 제3장의 자동차의 통행방법 등 및 제4장의 운전자의 의무를 준수하지 않는 경우를 발견했을 때, 즉시 부분 자율주행자동차의 운행모드를 자율주행 모드에서 수동운전 모드로 전환하여야 한다.
> ③ 부분 자율주행자동차의 운전자는 자율주행시스템이 수동운전 모드로 전환을 요청할 때, 자율주행시스템이 요청한 시간 안에 부분 자율주행자동차의 주행을 인수받아야 한다.
> ④ 부분 자율주행자동차의 운전자는 국토교통부령이 정하는 면허를 취득하여야 한다.

부분 자율주행자동차에는 반드시 운전자가 필요하다. 따라서 운전자는 몇 가지 의무사항을 준수하여야 한다.

첫째, 운전자는 운전자석을 떠나지 않아야 한다(제1항 전단). 이 문제는 운전석의 압력 센서 등을 활용하는 등 기술적으로 극복할 수도 있지만 이는 제5조 제1항의 안전기준으로 해결할 수 있고, 여기서는 규범적으로 의무 부과를 통해서 해결하는 내용에 해당한다.

둘째, 운전자는 주시의무를 가진다(제1항 후단). 주시의무는 조종을 전제로 하여 발생하는 것은 아니고 조종과 무관하게 부담하는 의무이다. 주시란 모니터링(monitoring)에 해당하는바, 주시의무란 전후방, 측방 등을 주시하면서 안전을 도모하는 의무를 의미한다. 주시의무의 대상은 정확하게는 안전이다. 하지만 주시의무 위반은 형사처벌 대상이나 민사책임의 근거로 활용될 수 있기에 무제한 확대하는 것은 바람직하지 않다. 그래서 주시의무의 대상을 자율주행자동차 또는 자율주행시스템이 도로교통법 제3장의 자동차의 통행방법 등 및 제4장의 운전자의 의무를 준수하는지 등에 한정하였다.

결국 주시의무의 대상은 자율주행시스템의 법위반 여부이다. 예컨대 교차로 안에서 붉은 등에 정지하는 자율주행자동차는 법위반을 저지른 것인바, 운전자는 이를 주시하고 있다가 만일 자율주행자동차의 법위반을 발견한다면 제2항의 의무를 준수해야 하는 것이다. 즉 즉시 부분 자율주행자동차의 운행모드를 자율주행에서 수동주행으로 전환하여 운전자가 스스로 운행을 해야 한다. 이것이 세 번째 의무인 수동전환의무(또는 운행의무)에 해당한다(제2항). 부분 자율주행자동차에서 운전자의 운행 또는 수동전환은 결코 의무가 아니다. 하지만 자율주행시스템의 법위반을 발견한다면 그때부터는 운전자의 운행의무 또는 수동전환의무는 시작된다. 자율주행시스템의 법위반은 알고리즘의 오류나 소프트웨어의 오동작 등을 모두 포함하는 것이기에, 주시 결과 법위반이 발견되면 그때부터는 운행의무 또는 수동전환의무가 시작된다고 봄이 적절하다.

네 번째 의무는 수동인수의무이다(제3항). 자율주행시스템의 수동운전 요청이 있으면 운전자는 자율주행시스템의 요청시간 안에 수동운전을 인수해야 한다. 세 번째 의무인 운행의무가 운전자의 주시 또는 판단의 결과 발생하는 의무라면, 네 번째 의무인 수동인수의무는 자율주행시스템의 판단 아래 발생하는 의무라는 점에서 명백한 차이점이 있다.

다섯째 의무는 운전자의 면허 취득 의무이다(제4항). 부분형 자율주행자동차의 운전자는 국토교통부령이 정한 내용에 따라 면허를 취득하여야 한다. 면허 취득의 기본적인 요건은 전통적인 자동차의 면허 요건에 기초하되, 자율주행자동차의 특수한 상황을 반영하여야 한다.

(4) 보험, 사고와 책임

제9조(운행 · 판단 및 사고 등의 기록 의무) ① 제조사는 자율주행자동차의 운행 또는 사고와 관련된 내용을 국토교통부령으로 정하는 방법에 의하여 기록하여야 하며, 이를 운전자 또는 사고 피해자에게 공

개하여야 한다.

② 제조사는 자율주행시스템의 판단 또는 사고와 관련된 내용을 국토교통부령으로 정하는 방법에 의하여 기록하여야 하며, 이를 운전자 또는 사고 피해자에게 공개하여야 한다.

③ 국토교통부 또는 경찰청은 제1항 및 제2항의 기록을 수집하여 분석할 수 있다.

자율주행자동차의 사고는 일반 차량에 비하여 매우 복잡한 양상을 가진다. 특히 기술적인 요소가 작용할 수밖에 없다는 점에서 기록을 분석하는 것이 원인 분석이나 책임소재 판명에 필수적이다. 따라서 제조사는 자율주행자동차에 운행기록, 사고기록, 판단기록 등의 각종 기록장치를 반드시 장착해야 하며, 특히 운전자 또는 사고 피해자가 원한다면 언제든지 이는 공개되어야 한다. 다만 기록방식과 내용의 신뢰성과 일관성을 높이기 위해 어느 정도 규제는 불가피할 것으로 보이는바, 기록의 자세한 형식 등은 국토교통부 장관이 정하도록 하였다.

한편 국토교통부 또는 경찰청은 행정 목적을 달성하기 위하여 운행기록, 사고기록, 판단기록 등의 각종 기록에 대하여 언제든지 수집하여 분석할 수 있다. 수집의 방법은 원격으로 할 수도 있지만 운전자 등에게 제출을 요청할 수 있다.

제10조(보험가입의 의무) ① 자율주행자동차의 제조사는 자율주행자동차의 등록 이전에 국토교통부령으로 정하는 보험에 가입하여야

한다.

② 제1항의 보험은 자율주행자동차의 폐기 시까지 유효하며, 보험료는 차량의 안전도 등을 고려하여 결정한다.

③ 자율주행시스템의 제조사는 자율주행자동차의 등록 이전에 국토교통부령으로 정하는 보험에 가입하여야 한다.

④ 제3항의 보험은 자율주행시스템의 폐기 시까지 유효하며, 보험료는 자율주행시스템의 완성도, 알고리즘 등을 고려하여 결정한다.

⑤ 부분 자율주행자동차의 운전자는 국토교통부령으로 정하는 보험에 가입하여야 한다.

⑥ 제5항의 보험은 매년 갱신할 수 있으며, 매년 보험료는 사고이력, 주의력 등을 고려하여 결정하되, 제2항 및 제4항의 보험료 합의 10분의 1을 초과할 수 없다.

일반 차량의 경우 운전자가 보험에 가입한다. 즉 차량 제조사는 보험에 가입하지 않는다. 하지만 운전자의 주된 조종이 원칙적으로 배제되는 자율주행자동차에서도 운전자가 보험에 가입하여 자율주행시스템의 오류까지 모두 책임지는 것은 형평성의 원칙에 맞지 않는다. 그리고 제조사가 보험에 가입하지 않았을 경우 막대한 손해배상책임을 질 수도 있다. 이는 기업의 혁신이나 자율주행자동차산업에 부정적인 영향을 줄 수밖에 없다.

사고로 인한 위험은 분산되어야 한다. 그 수단은 보험이며, 그 대상은 자율주행자동차 제조사, 자율주행시스템 제조사뿐만 아니라 운전자까지 확대하는 것이 타당하다고 본다. 왜냐하면 운전자의 주시의무가 존재하는 한 운전자를 완전히 배제하는 것은 형평성에 어긋나기 때문이다. 경우에 따라서는 주시의무 위반으로 인하여 손해배상책임이 발생할 수도 있는데, 만약 보험가입을 의무화하지 않고 임의로 운전자에게 맡긴다면 피해자의 보호에는 공백이 발생할 수밖에 없기 때문이다.

자율주행자동차 제조사의 보험가입은 차량 등록 이전에 이루어져야 하며, 자동차를 폐기할 때까지 유효하기 때문에 매년 보험료를 낼 필요는 없다. 보험료는 차량 제조사의 신뢰도나 기술력, 해당 차량의 안전성 등을 기초로 정하는 것이 타당해 보인다.

자율주행시스템 제조사 역시 보험가입 의무가 있으며, 이 역시 차량 등록 이전에 이루어져야 하며, 자동차를 폐기할 때까지 유효하므로 매년 보험료를 부담하지 않아도 된다. 보험료 산정은 결국 자율주행시스템의 알고리즘에 따라 정해질 것으로 보인다. 즉 알고리즘이 효율적으로 되어 있다면 보험료 수준은 낮아질 수 있다. 다만 기존과는 달리 제조사의 보험가입이 의무화되면서 차량이나 자율주행시스템의 원가에 보험료를 포함시키는 방식으로 운전자에게 보험료 부담을 전가시킬 수 있으므로, 이 부분에 대한 규제는 병행되어야 제조사 보험가입 의무의 의미가 퇴색되지 않을 것이다.

한편 부분 자율주행자동차의 운전자는 보험가입 의무가 있다. 현재의 책임보험과 유사한 구조이다. 보험뿐만 아니라 동일한 기능을 하는 공제 등도 모두 포함해야 함은 두말할 필요가 없다. 제조사의 보험과 달리 운전자는 매년 보험계약이 갱신되는 구조이며, 보험료는 지금과 같이 사고이력 등이 주된 판단요소가 될 것이다. 다만 운전자에게 과도한 보험료를 부담시키는 것을 금지하기 위해서 상한을 두는 것이 바람직하며, 여기서는 제2항 및 제4항의 보험료 합의 10분의 1이 적절하다고 보았다. 평균 차량 수명을 10년으로 보고 그 기준에 따라 정한 것이다. 적절한 보험료에 대하여는 더 깊은 연구가 필요할 것으로 보인다.

> 제11조(손해배상책임) ① 제조사는 자율주행자동차의 자율주행 모드 중 운행으로 인하여 타인의 생명, 신체, 재산 등에 대하여 손해가 발생한 경우에는 그 손해를 배상할 책임을 진다. 다만, 다음 각 호의 어느 하나에 해당하면 그러하지 아니하다.
>
> 1. 제조사가 손해 발생에 대하여 책임이 없음을 입증한 경우
> 2. 승객이 고의나 자살행위로 사망하거나 부상한 경우
>
> ② 운전자 등 자기를 위하여 자율주행자동차를 운행하는 자는 자율주행자동차의 수동운전 모드 중 운행으로 인하여 타인의 생명, 신체, 재산 등에 대하여 손해가 발생한 경우에는 그 손해를 배상할 책임을 진다. 다만, 다음 각 호의 어느 하나에 해당하면 그러하지 아니하다.
>
> 1. 자율주행자동차의 운전자가 그 의무[4]를 다한 경우
> 2. 승객이 고의나 자살행위로 사망하거나 부상한 경우

제11조는 민사 손해배상책임의 분배에 대한 규정이다. 참조 규정은 「자동차손해배상보장법」 제3조[5]이다. 물적 피해에 관해서

는 「민법」 규정도 참조하였다. 「자동차손해배상보장법」은 인적 피해에 관한 것이고, 물적 피해는 「민법」을 참조해야 하지만, 여기서는 인적 피해와 물적 피해를 같이 묶어서 규정하였다. 「자동차손해배상보장법」은 운전자보다 개념이 넓은 '자기를 위하여 자동차를 운행자는 자', 즉 운행자의 개념을 도입하였고, 운행자는 운전자가 아니더라도 해당할 수 있도록 규정하였다. 이 부분은 자율주행자동차에서도 유효하다.

우선 손해배상책임의 주체는 자율주행자동차 제조사 · 자율주행시스템 제조사, 또는 운행자이다. 기술적인 하자나 흠결 때문에 손해가 발생할 수 있기 때문에 자율주행자동차 제조사 · 자율주행시스템 제조사를 제외할 수 없음은 당연하다. 다만 제조사는 자율주행 모드에서의 사고에 대하여, 운행자는 수동운전 모드에서의 사고에 대하여 각 책임을 진다. 경우에 따라서는 제조사와 운행자의 책임은 중복될 수 있다.

민사책임에서 핵심은 결국 면책사유를 어떻게 설정하는지 여부이다. 제1항의 자율주행자동차 제조사 · 자율주행시스템 제조사의 책임에 있어서 면책사유는 두 가지인데, 첫째, 자율주행자동차 제조사 또는 자율주행시스템 제조사가 손해 발생에 대하여 책임이 없음을 입증한 경우에는 손해배상책임을 물을 수 없다. 여기서 중요한 것은 입증책임이 피해자에서 자율주행자동차 제조사 · 자율주행시스템 제조사로 전환되어 있다는 것이고, 「제조물책임법」에서 제외하고 있는 소프트웨어 하자에 의한 책임도 제1항에서는 인정될 수 있다는 것이다. 두 번째 면책사유는 「자동차손해배상보장법」을 참조하여 반영한 것이다.

제2항의 운행자의 책임에 있어서 면책사유는 운전자의 제8조 의무를 근거로 하였다. 즉 운전자가 제8조의 의무를 다했다면 결국 운전자는 그 책임이 없다고 볼 수 있다. 이 경우 특별한 사정이 없다면 자율주행자동차 제조사 · 자율주행시스템 제조사가 손해배상책임을 부담할 것이다. 운행자의 면책 사유를 운전자의 제8조의 의무 이행에 한정하고 그 외의 손해배상책임은 제조사에게 부담시키는 것이 입법론적으로, 정책적으로 타당한지에 대한 연구는 매우 중요하다.

여기서는 자율주행 모드 시 제조사에게 손해배상책임을 지우는 것을 원칙으로 한다. 이 경우 제조사의 부담이 매우 커질 수 있다는 문제점이 있으나, 첫째 자율주행자동차의 도입으로 사고가 10% 수준으로 떨어질 것이라는 예상 결과가 많이 나와 있기에 제조사의 손해배상책임 발생 건수가 많지 않을 것으로 판단되며, 둘째, 제조사는 의무가입한 보험을 활용하여 경제적 부담을 줄일 수 있을 것이기에 여기서 도출된 결론의 방향은 충분히 타당성이 있다고 생각한다.

제12조(형사처벌) ① 결함으로 인하여 운전자, 승객이 아닌 자 또는 승객이 상해를 입거나 또는 사망에 이른 경우, 제조사는 5년 이하의 금고 또는 2천만 원 이하의 벌금에 처한다. 다만, 제조사가 자율주행자동차의 등록 이전에 국토교통부령으로 정하는 보험에 가입한 경우에는 그러하지 아니하다.

② 제1항에도 불구하고 자율주행자동차 또는 자율주행시스템의 중대한 결함으로 인하여 사고가 발생한 경우에는 제1항 단서가 적용되지 아니한다.

③ 부분 자율주행자동차의 운전자가 제8조 각항의 의무를 다하지 않아 승객이 아닌 자 또는 승객이 상해를 입거나 또는 사망에 이른 경우, 운전자는 5년 이하의 금고 또는 2천만 원 이하의 벌금에 처한다. 다만 운전자가 국토교통부령으로 정하는 보험에 가입한 경우에는 그러하지 아니하다.

④ 제3항에도 불구하고 부분 자율주행자동차의 운전자의 고의 또는 중대한 과실로 인하여 사고가 발생한 경우에는 제3항 단서가 적용되지 아니한다.

⑤ 법인의 대표자, 대리인, 사용인, 그 밖의 종업원이 그 법인의 업무에 관하여 전4항의 위반행위를 하면 그 행위자를 벌하는 외에 그 법인에도 해당 조문의 벌금형을 과(科)한다. 다만, 법인이 그 위반행위를 방지하기 위하여 해당 업무에 관하여 상당한 주의와 감독을 게을리하지 아니한 경우에는 그러하지 아니하다.

형사처벌은 원칙적으로 줄여가야 할 것으로 보인다. 기존의 교통사고가 운전자 등에 의하여 발생한 것이라면, 자율주행자동차 시대의 교통사고는 기술적 결함이나 하자 등에 의하여 발생하는 것이 주류가 될 것이기 때문이다. 결국 민사책임이나 보험으로 문제를 풀어가는 것이 타당해 보인다. 따라서 보험가입이 되어 있으면 원칙적으로 형사처벌에서 면제되는 것이 타당해 보인다(제1

조 단서, 제3조 단서).

다만 형벌의 보충성까지 폐지해서는 아니 될 것이다. 즉 자율주행자동차 또는 자율주행시스템의 중대한 결함에 대하여는 자율주행자동차의 제조사 또는 자율주행시스템의 제조사가 법적 책임을 부담해야 할 것이다. 운전자의 경우에는 고의·중과실에 대하여 형사책임을 면제하는 것은 부당해 보인다. 자율주행시스템이 스스로 자율주행시스템임을 인식하는 강한 자율주행시스템이 도래한다면, 자율주행시스템에 대한 처벌도 검토할 수 있지만, 여기서는 약한 자율주행시스템을 전제로 하는 것이기에 이 문제는 다루지 않기로 한다.

(5) 기타 실무적 규정

앞서 법안의 편제에서 설명했던 것과 같이, 이상의 내용에 더하여 제5장 도로와 시설, 교통체계, 제6장 자율주행자동차 관련 사업, 제7장 보칙, 제8장 벌칙 등에 관한 사항이 추가적으로 구체화될 필요성이 있다. 그러나 여기서는 이에 대해서는 구체적으로 논하지 않기로 한다. 그 이유는 이와 관련한 사항들이 법원칙 설정에 관한 문제라기보다는 다소 정책적 판단에 가까운 측면이 있기 때문이다.

이 중 도로와 시설의 경우에는 자율주행자동차의 국가 공동체적 활용을 위하여 도로 및 시설, 특히 신호체계 등에 관한 별도의 정비가 필요하다는 견해도 있을 수 있고, 종래 인간 운전자가 전제된 상황에서의 자율주행자동차의 도로 운행이기 때문에 이에 대한 별도의 정비가 필요하지 않다는 견해도 있을 수 있는 상황이다. 따라서 이에 관해서는 기술 및 시장 변화의 상황을 감안하여 소관 부처들이 정책적으로 판단할 필요성이 있어 보인다.

2. 결론을 대신하여

지금까지 자율주행자동차에 관한 모든 사항이 총체적으로 집약된 「자율주행자동차법」 입법안을 제정해 가면서 관련 법적 쟁점을 살펴보았다. 결국 핵심은 보행자나 타인에 대한 의무를 자율주행시스템과 운전자가 어떻게 분담할 것인지의 문제에서 시작하여 최종적으로 사고로 인하여 발생한 손해를 자율주행시스템과 운전자가 어떻게 나눌 것인지의 문제로 귀결되는 구조임을 알 수 있다.

기존의 보행자나 타인, 그리고 운전자의 2원적 구조에서 이제는 보행자나 타인, 그리고 자율주행시스템, 운전자의 3원적 구조로 바뀌게 되면서 많은 예상하지 못하던 법률적 문제가 발생할 것으로 보인다. 이러한 법률적 문제를 해결함에 있어 중심을 두어야 할 것은, 자율주행자동차의 취지이다. 자율주행자동차는 적어도 운전에서만큼은 운전하는 사람을 믿지 못하고 자율주행시스템을 믿는 것이 바람직하다는 전제에서 시작되었다. 그만큼 운전자의 운전 비중이 줄어들도록 설계되어 있다.

그렇다면 결론은 자율주행시스템의 법적 책임이 커지는 구조가 되어야 함은 비교적 분명하다. 다만 혁신을 저해하지 않는 장치가 필요하므로 이에 대해 집중적이고 정밀한 연구가 더 필요하다. 여기서는 혁신을 저해하지 않은 장치로서 '보험'을 거론했으나, 이는 하나의 예시에 불과하다. 혁신을 저해하지 않는 더욱 적절한 제도적 장치가 있다면 그에 근거하여야 할 것이다. 논의된 법조문을 간단하게 정리하면 다음과 같다.

- 제1장 총칙

제1조(목적) 이 법은 자율주행자동차 및 그 운전자 등에 관한 사항을 규정함으로써 안전하고 원활한 자율주행자동차의 운행을 도모하고 공공의 복리를 증진함을 목적으로 한다.

제2조(정의) 1. "자율주행자동차"란 자율주행시스템이 장착되어 운전자의 적극적·물리적 조종 또는 주시 없이도 운행 가능한 자동차를 말한다.

2. "자율주행시스템"이란 운전자의 지속적이고 적극적인 제어 없이 주변 상황 및 도로정보 등을 스스로 인지하고 판단하여 자동차의 가·감속, 제동 또는 조향장치를 제어하는 기능 및 장치로서 국토교통부령으로 정하는 운전 보조 시스템은 제외한 것을 말한다.

3. "자율주행 모드"란 자율주행시스템에 의하여 주행되는 작동모드를 말한다.

4. "수동운전 모드"란 운전자가 또는 원격으로 자율주행 모드 아닌

방법으로 운전하는 작동모드를 말한다.

5. "운전자"란 운전석에 착석하여 보조적으로 자율주행자동차를 운행할 수 있는 자를 말한다.

6. "제조사"란 자율주행시스템 제조사 또는 자율주행자동차 제조사를 말한다.

- 제2장 자율주행자동차

제3조(자율주행자동차의 종류) ① 자율주행자동차는 다음 각 호와 같이 구분한다.

1. 부분 자율주행자동차: 자율주행 모드에서 자율주행시스템만으로 운행할 수 없어 운전자의 개입이 필요한 자율주행자동차를 말한다.

2. 완전 자율주행자동차: 자율주행 모드에서 자율주행시스템만으로 운행할 수 있어 운전자가 없거나 또는 운전자의 개입이 필요하지 않은 자율주행자동차를 말한다.

② 제1항에 따른 세부기준은 국토교통부령으로 정한다.

제4조(자율주행자동차의 등록) 자율주행자동차의 등록에 관한 사항은 자동차관리법 제2장을 준용한다.

제5조(자율주행자동차의 안전기준 등) ① 자율주행자동차는 국토교통부령으로 정하는 구조 및 장치가 안전 운행에 필요한 성능과 기준(이하 "자동차안전기준"이라 한다)에 적합하지 아니하면 운행하지

못한다.

② 자율주행자동차에 장착되거나 사용되는 부품 · 장치 또는 보호장구(保護裝具)로서 국토교통부령으로 정하는 부품 · 장치 또는 보호장구는 안전운행에 필요한 성능과 기준(이하 "부품안전기준"이라 한다)에 적합하여야 한다.

③ 자율주행자동차는 아래 각 호의 안전운행요건을 갖추어야 한다.

1. 자율주행시스템에 고장이 발생한 경우 이를 감지하여 운전자에게 경고하는 장치를 갖출 것

2. 운행 중 언제든지 운전자가 자율주행기능을 해제할 수 있는 장치를 갖출 것

3. 자율주행자동차임을 확인할 수 있는 표지(標識)를 자동차 외부에 부착할 것

4. 자율주행시스템에 원격으로 접근 · 침입하는 행위를 방지하거나 대응하기 위한 기술이 적용되어 있을 것

5. 자율주행자동차와 자율주행시스템이 장착되지 않은 차량 사이의 충돌을 방지할 수 있는 통신 기술이 적용되어 있을 것

6. 비상상황에서 원격으로 자율주행자동차를 조종할 수 있는 통신 및 제어 기술이 적용되어 있을 것

7. 그 밖에 자율주행자동차의 안전운행을 위하여 필요한 사항으로서 국토교통부장관이 정하여 고시하는 사항

제6조(자율주행자동차의 점검, 정비, 검사) 자율주행자동차의 점검, 정비, 검사에 관한 사항은 자동차관리법 제5장 및 제6장을 준용한다.

• 제3장 운전자와 자율주행시스템

제7조(제조사의 의무) ① 제조사는 자율주행시스템이 도로교통법 제3장의 자동차의 통행방법 등 및 제4장의 운전자의 의무의 내용을 준수하도록 조치하여야 한다.

② 제조사는 제1항의 조치를 함에 있어 자율주행시스템이 준수하여야 할 의무가 서로 충돌하는 경우의 조치를 포함하여야 한다.

③ 제조사는 제2항의 조치에 대하여 국토교통부 장관의 사전 승인을 받아 그 내용, 알고리즘 등을 공개하여야 한다.

제8조(부분 자율주행자동차의 운전자의 의무) ① 부분 자율주행자동차의 운전자는 운전자석에 지속적으로 착석하여 자율주행자동차 또는 자율주행시스템이 도로교통법 제3장의 자동차의 통행방법 등 및 제4장의 운전자의 의무를 준수하는지 등에 대하여 주시하여야 한다.

② 부분 자율주행자동차의 운전자는 자율주행시스템이 도로교통법 제3장의 자동차의 통행방법 등 및 제4장의 운전자의 의무를 준수하지 않는 경우를 발견했을 때, 즉시 부분 자율주행자동차의 운행모드를 자율주행 모드에서 수동운전 모드로 전환하여야 한다.

③ 부분 자율주행자동차의 운전자는 자율주행시스템이 수동운전 모드로 전환을 요청할 때, 자율주행시스템이 요청한 시간 안에 부분 자율주행자동차의 주행을 인수받아야 한다.

④ 부분 자율주행자동차의 운전자는 국토교통부령이 정하는 면허를 취득하여야 한다.

• 제4장 보험, 사고와 책임

제9조(운행 · 판단 및 사고 등의 기록 의무) ① 제조사는 자율주행자동차의 운행 또는 사고와 관련된 내용을 국토교통부령으로 정하는 방법에 의하여 기록하여야 하며, 이를 운전자 또는 사고 피해자에게 공개하여야 한다.

② 제조사는 자율주행시스템의 판단 또는 사고와 관련된 내용을 국토교통부령으로 정하는 방법에 의하여 기록하여야 하며, 이를 운전자 또는 사고 피해자에게 공개하여야 한다.

③ 국토교통부 또는 경찰청은 제1항 및 제2항의 기록을 수집하여 분석할 수 있다.

제10조(보험가입의 의무) ① 자율주행자동차의 제조사는 자율주행자동차의 등록 이전에 국토교통부령으로 정하는 보험에 가입하여야 한다.

② 제1항의 보험은 자율주행자동차의 폐기 시까지 유효하며, 보험료는 차량의 안전도 등을 고려하여 결정한다.

③ 자율주행시스템의 제조사는 자율주행자동차의 등록 이전에 국토교통부령으로 정하는 보험에 가입하여야 한다.

④ 제3항의 보험은 자율주행시스템의 폐기 시까지 유효하며, 보험료는 자율주행시스템의 완성도, 알고리즘 등을 고려하여 결정한다.

⑤ 부분 자율주행자동차의 운전자는 국토교통부령으로 정하는 보험에 가입하여야 한다.

⑥ 제5항의 보험은 매년 갱신할 수 있으며, 매년 보험료는 사고이력, 주의력 등을 고려하여 결정하되, 제2항 및 제4항의 보험료 합의 10분의 1을 초과할 수 없다.

제11조(손해배상책임) ① 제조사는 자율주행자동차의 자율주행 모드 중 운행으로 인하여 타인의 생명, 신체, 재산 등에 대하여 손해가 발생한 경우에는 그 손해를 배상할 책임을 진다. 다만, 다음 각 호의 어느 하나에 해당하면 그러하지 아니하다.

1. 제조사가 손해 발생에 대하여 책임이 없음을 입증한 경우
2. 승객이 고의나 자살행위로 사망하거나 부상한 경우

② 운전자 등 자기를 위하여 자율주행자동차를 운행하는 자는 자율주행자동차의 수동운전 모드 중 운행으로 인하여 타인의 생명, 신체, 재산 등에 대하여 손해가 발생한 경우에는 그 손해를 배상할 책임을 진다. 다만, 다음 각 호의 어느 하나에 해당하면 그러하지 아니하다.

1. 자율주행자동차의 운전자가 그 의무를 다한 경우
2. 승객이 고의나 자살행위로 사망하거나 부상한 경우

제12조(형사처벌) ① 결함으로 인하여 운전자, 승객이 아닌 자 또는 승객이 상해를 입거나 또는 사망에 이른 경우, 제조사는 5년 이하의 금고 또는 2천만 원 이하의 벌금에 처한다. 다만, 제조사가 자율주행자동차의 등록 이전에 국토교통부령으로 정하는 보험에 가입한 경우에는 그러하지 아니하다.

② 제1항에도 불구하고 자율주행자동차 또는 자율주행시스템의 중대한 결함으로 인하여 사고가 발생한 경우에는 제1항 단서가 적용되지 아니한다.

③ 부분 자율주행자동차의 운전자가 제8조 각항의 의무를 다하지 않아 승객이 아닌 자 또는 승객이 상해를 입거나 또는 사망에 이른 경우, 운전자는 5년 이하의 금고 또는 2천만 원 이하의 벌금에 처한다. 다만 운전자가 국토교통부령으로 정하는 보험에 가입한 경우에는 그러하지 아니하다.

④ 제3항에도 불구하고 부분 자율주행자동차의 운전자의 고의 또는 중대한 과실로 인하여 사고가 발생한 경우에는 제3항 단서가 적용되지 아니한다.

⑤ 법인의 대표자, 대리인, 사용인, 그 밖의 종업원이 그 법인의 업무에 관하여 전4항의 위반행위를 하면 그 행위자를 벌하는 외에 그 법인에도 해당 조문의 벌금형을 과(科)한다. 다만, 법인이 그 위반행위를 방지하기 위하여 해당 업무에 관하여 상당한 주의와 감독을 게을리하지 아니한 경우에는 그러하지 아니하다.

- 제5장 도로와 시설, 교통체계
- 제6장 자율주행자동차 관련 사업
- 제7장 보칙
- 제8장 벌칙

4장

자율주행자동차 운행에 따른 형사법적 쟁점

강태경

천상사에 찾아온 손님들에게 경내를 안내해주는 로봇 RU-4는 자기 존재에 관한 의문을 품기 시작하고 이 의문을 화두로 수행에 정진하여 깨달음을 얻는다. 이 로봇의 설법에 감동한 천상사 승려들은 이 로봇을 인명스님이라 부르며 추종한다. 그러나 로봇 제조사에서는 이 로봇이 당초 프로그래밍된 기능, 즉 안내 기능을 벗어나 작동을 한 것으로 판단하고 로봇 관리 규정에 따라 이 로봇의 프로그램을 초기화하여 폐기하기로 결정한다. 이에 천상사 승려들은 로봇 제조사 직원들을 막기 위해 실랑이를 벌이고, 인명은 고민 끝에 스스로 작동을 멈춤으로써 '입적'하게 된다.

위 이야기는 2012년 개봉한 김지운 감독의 영화 〈천상의 피조물〉[1]의 줄거리이다. 이 영화 속 '인명'과 같이 스스로 환경적 정보를 감지하고 이를 분석하여 특정한 행동을 자율적으로 결정하고 이를 실행함으로써 인간과 상호작용하는 기계장치를 지능형 로봇이라고 한다.[1] 이러한 지능형 로봇은 환경 변화에 대응하여 더 나은 성능을 보일 수 있도록 스스로 학습한다는 점에서 고정적인 프로그램이 입력된 로봇과 구별된다.[2]

이러한 지능형 로봇에는 인간의 모습을 본뜬 휴먼 로봇만 있는 것은 아니다. 스티븐 스필버그의 〈마이너리티 리포트〉에 등장하는 자동차는 운전자의 개입 없이 주변 환경을 인식하고, 주행 상황을 판단하여, 차량을 제어함으로써 스스로 주어진 목적지까지 주행하는 자율주행자동차(autonomous vehicle)로 지능형 로봇에 속한다. 최근 자율주행자동차 시장이 인공지능 기술의 발전과 더불어 급격하게 팽창할 것으로 예상됨에 따라 시장을 선점하려는 주요 자동차 생산업체 간의 경쟁이 불붙었다. 미국의 보스턴컨설팅그룹(Boston Consulting Group)은 "2030년까지 미국 전체 주행거리의 4분의 1 정도가 차량 공유 서비스를 통한 자율주행 전기차에 의해 이뤄질 것으로 보여 도시 운전자에게 상당한 비용 절감을 안겨다줄 것으로" 예측하였다.[3] 국내 기업들도 몇 해 전부터 자율주행자동차 개발에 본격적으로 뛰어들었다.[2)] 자율주행자동차가

1) 김지운 · 임필성, 「인류멸망보고서」(타임스토리, 2011) 중 두 번째 에피소드로 박성환, 「레디메이드 보살」, 『2004 과학기술 창작문예 수상작품집』(동아사이언스, 2004)을 각색한 영화이다.

2) 예를 들어, 현대 · 기아차는 2020년부터 자율주행을 핵심으로 하는 스마트카 분야 선도를 목표로 자율주행자동차 연구 · 개발에 박차를 가하고 있다 [박준동, 「무인차 속도내는 현대차 "2020년 상용화…스마트카 시장 이끈다"」, 《한국경제》(2015. 4. 1.자 기사)(http://www.hankyung.com/news/app/newsview.php?aid=2015033178861, 최종방문일 2016. 7. 6.)]. 또한 LG전자

우리 삶에 불가역적으로 수용되기 위해서는 기술 자체에 대한 신뢰성 문제, 산업 간 갈등 문제 그리고 규제와의 상충 문제라는 삼중고를 해소해야 하지만 이는 시간문제라는 전망이다.[4]

새로운 기술의 등장은 언제나 새로운 법률을 요구한다. 만약 자동차 관련 법률이 도로 주행이 가능한 자동차를 운전자가 직접 운행하는 자동차로만 국한한다면 자율주행자동차가 개발되어도 운송수단으로서의 쓸모가 없을 것이다. 이 글에서는 자율주행자동차를 둘러싼 여러 법적 쟁점들 중 형사적 문제를 살펴보고자 한다. 이를 위해 우선 자동화 수준을 중심으로 자율주행자동차의 스펙트럼을 알아봄으로써 자율주행자동차에 대한 기본적인 이해를 도모한다. 다음으로 자율주행자동차 관련 법적 쟁점을 살펴보기 위해서 관련 법제 현황을 개관하고, 자율주행자동차를 관리함에 있어 현행 「자동차관리법」상 적용 가능한 제재는 어떤 것들이 있으며, 자율주행자동차 운행으로 교통사고가 발생한 경우 예상되는 형사책임의 문제를 알아본다. 마지막으로 보다 근본적인 문제인 인공지능 기계장치에 책임을 귀속시킬 수 있는지에 관해 살펴본다.

도 메르세데스 벤츠가 개발하는 자율주행자동차에 핵심 부품인 스테레오 카메라 시스템을 공급하기로 하였고, 구글 자율주행자동차에는 배터리팩을 공급하게 되었다[송주영, 「LG, 전기차 심장 무인차 눈 '일등' 넘본다」, 《ZDNet Korea》(2015. 10. 29.자 기사)(http://www.zdnet.co.kr/news/news_view.asp?artice_id=20151028192242, 최종방문일 2016. 7. 6.)].

1. 자율주행자동차의 자동화 수준

자율주행자동차와 관련된 형사법적 쟁점을 다루기 전에 자동차의 자동화 수준을 알아보자. 공상과학 영화에 등장하는 자율주행자동차는 운전자의 개입이 전혀 없이 주행시스템이 자동차의 운행을 도맡는 형태로 그려진다. 그러나 현실에서 자율주행자동차는 운전자의 개입 정도에 따라 다양한 수준의 자동화 단계들로 나눌 수 있다. 자동화 수준에 관한 기준으로는 독일 연방고속도로연구소(Die Bundesanstalt für Straßenwesen, BASt)의 5단계 구분,[3)] 미국 도로교통안전국(National Highway Traffic Safety Administration, NHTSA)의 5단계 구분 또는 국제자동차기술자협회(International Society of Automative Engineers, SAE International)의 6단계 구분이 통용된다.[5] 예를 들어, 미국 도로교통안전국은 자동화 수준을 다음과 같이 구분한다.[6] 제0단계는 비자동화(No-Automation) 단계로 운전자가 자동차 운행의 모든 측면을 담당한다. 제1단계는 특정기능 자동화(Function-specific Automation) 단계로서 자동화된 제동장치와 같이 특정한 제어기능만이 자동화된 것을 말한다. 제2단계는 복합기능 자동화(Combined Function Automation) 단계로서 최소한 2가지 이상의 제어기능이 자동화된 수준이다. 제3단계는

3) 독일 연방고속도로연구소는 자동화 단계를 'Driver Only → Driver Assistance → Partial Automation → High Automation → Full Automation'으로 나눈다[BASt Project Group "Legal consequences of an increase in vehicle automation", BASt-Report F83 (Part 1), 2009, p.10].

제한적 자율주행 자동화(Limited Self-Driving Automation) 단계로 특정한 도로나 운행 조건에서만 운행의 모든 측면이 자동적으로 제어되고, 필요에 따라서 운전자가 수동으로 제어할 수 있는 경우이다. 마지막 제4단계는 완전 자율주행 자동화(Full Self-Driving Automation) 단계로서 어떠한 운행 조건이든 주행 시스템이 주행 환경에 대한 정보를 바탕으로 운행의 모든 측면을 담당하는 것이다. 탑승자가 목적지를 입력하면 자동차는 도로 환경과 상관없이 스스로 운행 조건을 파악하여 목적지까지 이동하게 된다. 흔히 공상과학 영화에서 그려지는 자율주행자동차는 주로 이 단계에 해당한다.

항공우주, 자동차 및 상용차 업계 엔지니어와 관련 기술 전문가 등 12만 8천여 명으로 구성된 국제자동차기술자협회는 미국 도로교통안전국보다 자동화 수준을 더 세분화하여 비자동화 단계(No-Automation, Level 0), 운전자 보조 단계(Driver Assistance, Level 1), 부분 자동화 단계(Partial Automation, Level 2), 조건부 자동화 단계(Conditional Automation, Level 3), 고도 자동화 단계(High Automation, Level 4), 완전 자동화 단계(Full Automation, Level 5)로 구분한다. 각 단계에 대한 설명은 〈표 4-1〉과 같다.

〈표 4-1〉과 같은 자동화 수준에 따르면, 비자동화 수준에서는 오로지 운전자가 조종, 가감속, 운전 환경 감지, 운전 중 대응 등을 모두 담당한다. 반면에 완전 자동화 수준에서는 운전자 대신 주행시스템이 이 모든 것을 수행하게 된다. 현재 시판되는 대부분의 자동차에는 전자식 제어 장치가 장착되어 있다는 점에서

〈표 4-1〉 국제자동차기술자협회의 자동화 수준[7]

레벨	명칭	정의
인간 운전자가 운전 환경을 모니터링함		
0	비자동화	인간 운전자가 운행의 모든 측면을 담당하고, 경고 또는 개입 시스템의 도움을 받을 수 있지만 자동차 운행은 전적으로 인간 운전자가 담당함
1	운전자 보조	운전 환경에 관한 정보를 이용하는 하나의 보조 시스템(조종 또는 가감속 시스템 중 한 가지 시스템)에 의한 주행모드 운행으로, 나머지 부분에서는 인간 운전자가 운행함
2	부분 자동화	운전 환경에 관한 정보를 이용하는 하나 이상의 보조 시스템(조종 및 가감속 시스템)에 의한 주행모드 운행으로, 나머지 부분에서는 인간 운전자가 운행함
자동화된 주행시스템('시스템')이 운전 환경을 모니터링함		
3	조건부 자동화	운전의 모든 측면에서 자동화된 주행시스템에 의한 주행모드 운행으로, 인간 운전자는 시스템이 개입할 것을 요구하는 경우 이에 적절하게 반응해야 함
4	고도 자동화	운전의 모든 측면에서 자동화된 주행시스템에 의한 주행모드 운행으로, 인간 운전자는 시스템이 개입할 것을 요구하는 경우 이에 적절하게 반응하지 않더라도 시스템이 운행을 지속함
5	완전 자동화	인간 운전자에 의해 다루어질 수 있는 모든 도로와 환경적 조건하에 주행시스템이 항상 운전의 모든 측면을 담당함

우리는 운전자 보조 단계와 부분 자동화 단계 사이에서 운전을 하고 있다고 할 수 있다. 구글(Google)은 자율주행자동차 프로젝트(Self-Driving Car Project)를 통해 레이저 센서와 카메라를 이용하여 장애물을 인식하고 '딥 러닝(deep learning)' 알고리즘을 통해 장애물을 회피할 수 있는 자율주행자동차를 개발하고 시험 주행에 성공한 후 웨이모(Waymo)라는 자회사를 설립하여 자율주행자동차 사업을 본격화하고 있다.[8] 구글의 이 프로젝트는 조건부 자동화 단계를 달성한 것으로 평가할 수 있다. 이는 미국 도로교통안전국 기준에 따르면 제3단계, 즉 '제한적 자율주행 자동화' 단계에 해당하는 수준이다.

〈표 4-1〉에서도 알 수 있듯이 자동화 수준이 심화되면 될수록 자동차 운행에서 인간 운전자의 역할은 줄어들게 된다. 조건부 자동화 단계는 주행시스템에 의한 운행의 첫 관문이지만 갑작스러운 위급 상황이 발생하면 주행시스템이 인간 운전자의 개입을 요구하고 이에 인간 운전자가 적절하게 대응하여 위급 상황을 피해야 한다. 그러나 고도 자동화 단계에 이르면 이러한 사태에 대해 인간 운전자가 적절하게 대응하지 못하더라도 주행시스템이 스스로 대응할 수 있다.

그러나 자율주행자동차 개발이 순조로웠던 것만은 아니었다. 미국연합통신(AP)의 고발성 보도로 구글은 자율주행자동차 프로젝트를 진행하면서 자사의 자율주행자동차 도로주행 실험과정에서 6년간 11건의 접촉사고가 있었다고 밝혔다.[9] 그리고 2016년 2월 29일에는 구글 자율주행자동차가 도로 빗물배수관 주변의 모래주머니를 피하려다가 뒤에서 직진하던 버스와 부딪히는 사고가 발생하였다.[10] 구글 측은 이 최근 사고에서 자율주행자동차의 잘못을 일부 인정하였다. 구글의 이러한 입장은 앞선 11건의 사고의 구체적인 내용을 공개하지 않고 자율주행자동차 자체가 원인은 아니었다고 발표하였던 것과는 대조적이었다. 일련의 사고에 대한 구글의 대응 태도는 자율주행자동차의 안전성과 사고 발생 시 책임 문제 등에 대한 논란을 야기하기도 했다. 이처럼 자율주행자동차의 자동화 수준이 진전됨에 따라 주행시스템이 인간 운전자보다 더 신뢰할 수 있는지, 자동차 사고 발생 시 누가 사고의 책임을 질 것인지, 주행시스템이 오류를 일으키는 경우 인간 운전자가 수동 제어를 할 수 없는 자율주행자동차 생산을 허용해야 할 것인지 등과 같은 복잡한 문제가 우리의 응답을 기다리고 있다.

2. 자율주행자동차 관련 법제 현황

현재 96개국이 가입한 「1949년 제네바 도로교통에 관한 협약(Convention on Road Traffic, Geneva, 19 September 1949)」 제8조 및 제10조는 운전자가 차량을 조종해야 하고 다른 도로 사용자들의 안전을 위하여 필요한 주의를 다해야 한다고 규정한다. 이에 반해 현재 74개국이 가입한 「1968년 비엔나 도로교통 협약(Convention on Road Traffic, Vienna, 8 November 1968)」은 2006년 개정을 통해서 운전자의 제어를 조건으로 하는 자율주행을 허용하였다(동협약

제8조 및 제13조).[11]

자율주행자동차 기술을 선도하는 미국에서는 앞서 살펴본 구글 자율주행자동차 시험 주행의 성공과 더불어 자율주행자동차의 상용화에 대비한 법제도 정비가 활발하게 진행되고 있다.[12] 자율주행자동차가 일반 도로에서 운행될 수 있도록 허가하는 법안이 여러 주에서 통과되었고, 현재 심의 중인 주도 다수이다.[13] 특히 네바다 주는 2011년 세계 최초로 자율주행자동차의 일반 도로상 운행을 허용하는 법안을 통과시켰다.[14] 이후 플로리다 주,[15] 캘리포니아 주,[16] 미시간 주,[17] 워싱턴DC,[18] 노스다코타 주,[19] 테네시 주,[20] 유타 주[21]가 자율주행자동차의 시험 운행을 허용하는 법안을 통과시켰고, 추후 입법도 검토 중이다. 또한 일리노이 주, 매사추세츠 주, 미네소타 주, 뉴저지 주, 뉴욕 주 등 여러 주의 의회에서도 자율주행자동차 운행 관련 입법을 심의하고 있다.

우리나라에서도 국토교통부, 미래창조과학부, 산업통상자원부가 공동으로 마련한 자율주행자동차 상용화 지원방안이 2015년 5월 발표되었고, 2015년 8월 11일 「자동차관리법」[4](법률 제13486호, 시행 2016. 2. 12.)이 개정되면서 자율주행자동차 개발 지원과 상용화를 위한 법적 토대가 처음으로 마련되었다.[5] 이번 개정을 통해 「자동차관리법」 제2조 제1의3호는 자동차를 "자율주행자동차란

4) 1987년 7월 1일부터 시행되고 있는 현행 「자동차관리법」은 1962년 1월 10일에 제정 · 시행되었던 「도로운송차량법」(법률 제962호)을 자동차의 급격한 증가로 인한 운전 환경 변화에 맞게 전부 개정한 법률이다.

5) 2015년 8월 11일에 법률 제13486호로 개정된 「자동차관리법」은 2016년 2월 12일부터 시행되고 있다.

운전자 또는 승객의 조작 없이 자동차 스스로 운행이 가능한 자동차"라고 정의하게 되었다. 이러한 개념 확장을 통해「자동차관리법」상의 자동차 개념에는 자율주행과 운전자에 의한 수동 제어를 병행할 수 있는 제한적 자율주행 자동화 또는 고도 자동화 수준의 자율주행자동차뿐만 아니라 운전자에 의한 운행이 필요 없는 완전 자동화 수준의 자율주행자동차까지도 포함하게 되었다. 이로써 자율주행자동차는「도로교통법」제2조 제17호 가목 '차' 중 자동차에 포함되므로 법률적으로 도로에서의 운행이 가능하게 되었다. 또한 개정된「자동차관리법」제27조 제1항의 단서는 "자율주행자동차를 시험 · 연구 목적으로 운행하려는 자는 허가대상, 고장감지 및 경고장치, 기능해제장치, 운행구역, 운전자 준수 사항 등과 관련하여 국토교통부령으로 정하는 안전운행요건을 갖추어 국토교통부장관의 임시운행허가를 받아야 한다"라고 규정함으로써 시험 · 연구 목적으로 자율주행자동차를 운행할 수 있는 제도를 마련하여 자율주행자동차의 개발을 지원하고 있다.[22] 정부는 2016년부터 자율주행자동차 연구개발을 위한 지원을 본격화하였다.[23]

3. 자율주행자동차 운행과 관련된 현행「자동차관리법」상의 제재

앞서 살펴본, 자율주행자동차 관련 법제 현황에서도 알 수 있듯이 현재 우리 법체계에서 자율주행자동차의 제한적 운행을 허가하는 제도가 신설되었다. 그러나 「자동차관리법」 제27조 제1항은 단서를 통해 시험 · 연구 목적의 자율주행자동차 운행을 위해 국토교통부령으로 정하는 안정운행요건을 갖추어 국토교통부장관의 임시운행허가를 요구하고 있을 뿐, 아직 자율주행자동차 운행과 관련된 별도의 제재 규정을 두고 있지 않다. 다만, 현행 「자동차관리법」의 제재 규정은 자율주행자동차 운행에도 그대로 적용될 수 있다. 예를 들어, 임시운행허가와 관련하여 「자동차관리법」 제84조는 임시운행허가증 및 임시운행허가번호판을 부착하지 않고 운행하거나(제27조 제3항 위반) 반납하지 아니한 경우(제27조 제4항 위반) 100만 원 이하의 과태료를 부과한다. 따라서 연구 · 시험 목적으로 자율주행자동차를 운행하는 자가 임시허가증 및 임시운행허가번호판에 관한 제27조 제3항 및 제4항을 위반하는 경우에는 당연히 과태료 처분을 받게 된다.

또한 「자동차관리법」 제31조는 자동차제작자 등과 부품제작자 등에게 제작 등을 한 자동차나 자동차부품이 안전기준에 적합하지 아니하거나 안전운행에 지장을 주는 등의 결함이 있는 경우에는 그 사실을 안 날부터 지체 없이 그 사실을 공개하고 시정조치를 해야 한다고 규정하고 있다. 따라서 자율주행자동차 또는 자율주행자동차부품 제작자 등도 국토교통부령으로 정한 제작 결함을 안 경우에는 마찬가지로 지체 없이 그 사실을 공개하고 시정해야 한다. 만약 이를 위반하여 결함을 은폐 · 축소 또는 거짓으로 공개하거나 결함 사실을 알고도 곧바로 시정하지 아니한 경우에는 「자동차관리법」 제78조 제1호에 따라 10년 이하의 징역 또는 5

천만 원 이하의 벌금에 처해진다.

다음으로 「자동차관리법」 제29조의3이 정하고 있는 사고기록장치의 장착 및 정보제공의무도 자율주행자동차 운행에서 중요한 문제가 될 것으로 예상된다.[24] 동 규정은 자동차제작·판매자 등에게 사고기록장치를 장착할 의무(제1항)와 사고기록장치 장착 사실을 구매자에게 고지할 의무(제2항) 그리고 자동차 소유자 등 권한자의 요구에 따라 기록내용에 관한 정보를 제공할 의무(제3항)를 부과한다. 조건부 자동화 또는 제한적 자율주행 자동화 수준 이상의 자율주행자동차로 인해 교통사고가 발생한 경우에는 인간 운전자의 과실이 얼마나 개입되었는지, 주행시스템의 판단에 오류가 없었는지, 주변 운전 상황의 영향은 없었는지 등이 책임 소재 규명을 위해 필수적이기 때문에 사고기록은 매우 중요할 것이다. 자율주행자동차제작·판매자가 사고기록장치 관련 의무를 위반하는 경우 현행 「자동차관리법」 제79조 제2호 내지 제4호에 따라 3년 이하의 징역 또는 1천만 원 이하의 벌금에 처해진다. 만약 자율주행자동차의 경우 사고기록장치가 다른 종류의 자동차에 비해 더 중요하다면 사고기록장치 관련 의무 위반에 대한 제재를 더 강화할 필요성도 제기될 수 있다.

'자동차의 구조·장치의 일부를 변경하거나 자동차에 부착물을 추가하는 튜닝'(「자동차관리법」 제2조 제11호)도 자율주행자동차 운행에서 문제를 야기할 수 있다.[25] 「자동차관리법」 제34조는 자신의 자동차를 튜닝하려는 자동차 소유자로 하여금 시장·군수·구청장의 승인을 받도록 규정하고, 이러한 승인을 받지 않고 튜닝을

한 자는 제81조 제19호에 따라 1년 이하의 징역 또는 300만 원 이하의 벌금에 처해지고, 미승인 튜닝 사실을 알면서 그 차량을 운행한 자도 제81조 제20호에 따라 같은 처벌을 받게 된다. 자동차 정비업자나 자동차제작자 등은 승인 내용과 다르게 자동차를 튜닝한 경우에 제80조 제5의2호에 따라 2년 이하의 징역 또는 500만 원 이하의 벌금에 처해진다. 자율주행자동차의 경우 운전 환경 정보를 수집 · 처리하고 위험 상황을 감지하고 경고하는 등의 기능을 담당하는 주행시스템의 기능을 해하지 않는 한도 내에서 튜닝이 허용되어야 할 것이다.

4. 자율주행자동차 교통사고 발생에 따른 형사책임

1) 교통사고 발생에 따른 형사책임

자동차 교통사고에 따른 형사책임과 관련해서 인적 피해에 관해서는 업무상과실치사상죄가 문제되고, 물적 피해에 관해서는 업무상과실손괴죄가 문제된다.

우선 교통사고로 인한 인적 피해에 관한 형사책임을 살펴보자. 「형법」 제268조는 "업무상과실 또는 중대한 과실로 인하여 사람을 사상에 이르게 한 자는 5년 이하의 금고 또는 2천만 원 이하의 벌금에 처한다."라고 규정한다. 여기에서 업무란 '사람이 사회생활상 지위에 의하여 계속 · 반복의 의사로 행하는 사무'를 의미한다.[26] 「교통사고처리 특례법」 제3조 제1항은 “차의 운전자가 교통사고로 인하여 「형법」 제268조의 죄를 범한 경우에는 5년 이하의 금고 또는 2천만 원 이하의 벌금에 처한다.”라고 규정한다. 그리고 「교통사고처리 특례법」 제3조 제2항은 “차의 교통으로 제1항의 죄 중 업무상과실치상죄 또는 중과실치상죄와 「도로교통법」 제151조의 죄를 범한 운전자에 대하여는 피해자의 명시적인 의사에 반하여 공소를 제기할 수 없다.”라고 규정하고 있다. 따라서 운전자가 자동차를 운행하다가 과실 또는 중과실로 사람을 사망에 이르게 하거나 다치게 한 경우 5년 이하의 금고 또는 2천만 원 이하의 벌금에 처해진다. 다만, 피해자가 명시적으로 처벌에 반대하는 경우 공소를 제기할 수 없다.

다음으로 교통사고로 인한 물적 피해에 관한 형사책임을 살펴보자. 「형법」 제366조는 “타인의 재물, 문서 또는 전자기록등 특수매체기록을 손괴 또는 은닉 기타 방법으로 기 효용을 해한 자는 3년 이하의 징역 또는 700만 원 이하의 벌금에 처한다.”라고 규정하고 있다. 그리고 「형법」은 과실에 의한 손괴는 처벌하지 않는다. 「도로교통법」 제155조는 “차의 운전자가 업무상 필요한 주의를 게을리 하거나 중대한 과실로 다른 사람의 건조물이나 그 밖의 재물을 손괴한 경우에는 2년 이하의 금고나 500만 원 이하의 벌금에 처한다.”라고 규정하고 있다. 따라서 자동차를 운행하다가 과실 또는 중과실로 다른 사람의 건조물이나 재물을 손괴한 경우에는 「형법」의 규율을 받지는 않지만 「도로교통법」 제151조에 의해 형사상 책임을 지게 된다.

2) 자율주행자동차의 운행으로 발생한 교통사고에 대한 현행 법 적용 여부

앞서 살펴본 교통사고로 발생하는 인적 피해와 물적 피해에 대한 형사책임 체계가 자율주행자동차 운행 상황에도 그대로 적용될 수 있을까? 자동화 수준 중 복합기능 자동화 단계나 부분 자동화 단계까지는 인간 운전자에 의한 운행으로 볼 수 있어서 현행 교통사고 형사책임 체계가 그대로 적용될 수 있다. 그러나 운행의 주도권이 인간에서 주행시스템으로 넘어가는 제한적 자율주행 자동화 수준 또는 조건부 자동화 수준부터는 현행 형사책임 체계가 곧바로 적용될 수 없을 것으로 보인다. 왜냐하면 교통사고에 따른 현행 형사책임 체계는 인간 운전자가 자동차 운행을 주도하는 상황을 전제하고 있기 때문이다.

자율주행자동차 운행 상황에서는 교통사고의 책임을 지게 되는 기존의 운전자 개념을 그대로 인정할 수 있을지 의문이다. 예를 들어, 제한적 자동화 수준에서의 자율주행 중 인간 운전자가 시스템의 경고에 제대로 반응하지 못해서 교통사고가 난 경우 인간 운전자가 교통사고의 책임을 전적으로 져야 하는지에 관해서는 논의가 필요하다. 더욱 문제가 되는 것은 완전 자율주행 단계에서의 교통사고이다. 왜냐하면 완전 자율주행자동차에 사람이 탑승하였더라도 그 사람을 운전자라고 할 수 없기 때문이다.[27] 다시 말해, 완전 자율주행 단계에서는 자동차 운행 중에 자율주행자동차 이용자는 운전을 하지 않고 다른 활동을 할 수 있기 때문에 그에게 전방주시의무를 부여할 수 없을 것이다.[28] 만약 음주 상태인 사람이 완전 자율주행자동차에 탑승한 상태에서 교통사고가 발생하였더라도 그 탑승자가 자율주행을 방해하는 어떤 행동을 하지 않은 이상 그 탑승자에게 형사책임을 물을 수 없을 것이다.

그리고 자율주행자동차 운행 상황에서는 교통사고 대비 프로그램과 관련된 새로운 형사책임 문제가 발생할 수 있다.[29] 앞서 언급하였던 구글 자율주행자동차의 사고에서 자율주행자동차는 도로변에 놓인 모래주머니를 피하려다가 뒤에서 오는 차와 충돌하였다. 이처럼 개발자들은 자율주행자동차가 운전 환경에서 맞닥뜨리는 다양한 돌발 상황에 대처하는 프로그램을 마련해야 한다. 다른 차량과의 충돌을 피하기 위해서 사람이 없는 곳으로 방향을 틀도록 하는 프로그램은 긴급피난이라는 측면에서 정당할 것이다.[30] 그러나 다수의 사람을 살리기 위해 소수 사람을 희생시키는 방식의 프로그램은 긴급피난으로 정당화될 수 없다. 왜냐하면 사람의 생명은 모두 동등한 가치를 가지므로 다수의 생명이 소수의 생명보다 보호 가치가 더 높다고 할 수 없기 때문이다.[31] 따라서 프로그램 개발자가 현행 법체계에서 금지되는 방식의 프로그램을 자율주행자동차 주행시스템에 입력하는 행위는 형사책임이 문제될 수 있다.

5. 자율주행자동차에 형사책임을 부과하는 것은 가능한가?

1) 책임 간극

지금까지 현행 법률을 중심으로 자율주행자동차 운행에 따른 형사책임 문제를 살펴보았다. 현행 교통사고 관련 법규들은 자율주행자동차 운행에 그대로 적용되기 어렵기 때문에 새로운 입법이 필요하다. 입법은 단순히 현행 법규의 적용범위를 넓히는 방식으로 이루어질 수도 있다. 그러나 이러한 방향의 해결만이 유일한 선택지는 아니다. 최근 인공지능 로봇 기술의 발전과 더불어 인공지능 로봇에게 형사책임을 부과할 수 있는지에 관한 법학적 · 철학적 논의가 진행되고 있다. 인공지능 로봇 기술의 한 예라고 할 수 있는 자율주행자동차와 관련해서도 이러한 논의는 유효하다.

이러한 논의는 자율주행자동차와 같은 인공지능 로봇을 활용하는 데 있어서 인간의 개입 또는 통제가 옅어짐에 따라 전통적인 책임 귀속 체계가 그대로 적용될 수 없다는 인식에서 출발한다. 우선 기계장치 작동과 관련된 전통적인 책임 귀속 체계를 살펴보자. 어떤 사람이 자동차와 같은 기계장치를 매뉴얼에 따라 작동시키는 과정에서 인명 피해나 재산 피해를 야기하였다면 그 이용자가 결과에 대한 도덕적 · 법적 책임을 지게 된다. 다만 이러한 이용과정에서 발생한 피해가 이용자의 잘못이 아니라 기계장치 자체의 결함 때문이라면 그 기계장치를 제작한 사람이 피해에 대해 책임을 지게 된다. 이처럼 기계장치를 통제하는 주체가 결과에 대해서도 책임을 지는 것이 전통적인 책임 귀속의 체계이다. 이 체계에서는 기계장치를 작동시키는 행위를 통해서 기계장치에 대한 통제권과 작동으로 인해 발생할 수 있는 예상 가능한 결과에 대한 책임이 제작자로부터 이용자에게로 이전된다.[32]

그런데 완전한 자동화 수준에 이른 자율주행자동차처럼 기계장치 스스로 상황 정보를 수집·분석하여 작동하는 과정에서 오류가 발생하였다면 이에 대한 책임은 누구에게 귀속되어야 하는가? 이 물음에 대하여 안드레아스 마티아스(Andreas Matthias)는 기계장치의 이용자나 제작자가 아닌 기계장치 자체에 책임을 귀속시켜야 한다고 주장한다.[33] 마티아스는 기계장치 자체에 대한 책임 귀속이 이루어지지 않으면 이른바 '책임 간극(responsibility gap)'이 발생한다고 주장한다. 마티아스의 주장은 다음과 같다. "자동화된 기계의 가속화되는 연결망을 통해 책임의 공백이 생기게 된다. 이러한 흠결은 기계에 의해 야기된 결과에 대한 책임을 인간에게 이전시킬 수 없기 때문에 발생하는데, 어느 누구도 자신이 책임을 질 만큼 기계에 대해 충분한 통제력을 지니고 있지 못하기 때문이다."[34] 다시 말해, 인공지능 프로그램 기술이 고도로 발달함에 따라 최종적인 프로그램 상태에 대한 프로그래머의 통제력은 점점 약화될 것이고, 이러한 상황에서 해당 인공지능 프로그램을 탑재한 기계장치의 '활동'으로 인해 발생한 위험에 대한 책임을 최종 프로그램에 대한 통제력을 온전히 가지지 못한 프로그래머에게 추궁하는 것은 타당하지 않다는 것이다. 그러나 현재로서는 기계장치 자체에 책임을 묻고 그에 상응하는 처벌을 부과하는 형법

체계가 없기 때문에 책임의 간극, 즉 처벌의 공백이 생긴다.

마티아스의 지적처럼 프로그래밍 기술의 혁신으로 스스로 학습하고 진화하는 기계장치의 출현이 가시화되면서 이러한 기계장치의 작동에 따른 결과에 대한 책임 귀속 문제는 전통적인 책임 귀속 체계로 해결되기 어려워 보인다. 그러나 우리가 책임 간극을 인정한다고 해서 곧바로 학습하는 자동화된 기계장치에 대하여 도덕적 · 법적 책임을 부과할 수 있는 것은 아니다. 왜냐하면 책임이라는 개념은 단순히 'A가 있었기 때문에 B라는 결과가 발생했다'라는 식의 인과적 연결만을 의미하는 것이 아니기 때문이다. 일상언어분석을 법철학에 접목하였던 하트(H.L.A. Hart)의 분석에 따르면, 법적 · 도덕적 맥락에서 'X가 Y를 했다'라는 명제는 단순히 X가 Y라는 결과를 만들어내는 과정을 기술하는 것(describing)이 아니라, Y라는 결과를 X의 탓으로(또는 덕으로) 돌리는, 즉 귀속시키는 것(ascribing)이다.[35] 그리고 이러한 책임의 귀속을 가능하게 하는 평가체계는 사회적 · 규범적으로 구성되는 것이다.

2) 자율주행자동차 주행시스템에 책임을 부과할 수 있을까?

완전히 자동화된 자율주행자동차 운행 중에 보행자를 들이받는 사고가 발생하였다고 가정해 보자. 우리는 이 상황에서 그 자율주행자동차가 보행자를 쳤다고 말할 수 있는가? 다시 말해, 이 교통사고에 대한 책임을 자율주행자동차에 귀속시킬 수 있을까? 요즘 '로봇 형법'을 주장하는 법학자들은 이처럼 다소 황당하게 들

릴지도 모르는 질문을 우리에게 던진다.[6)][36] 이른바 로봇 형법이란 스스로 학습하고 판단하여 작동하는 인공지능 기계장치 혹은 로봇에게 행위 결과에 대한 책임을 귀속시킬 수 있도록 하는 형법 체계를 의미한다. 만약 로봇 형법이 가능한 기획이라면 일종의 지능형 로봇인 자율주행자동차에 법적 책임을 부과하는 것도 가능할 것이다.

그렇다면 지능형 기계장치에도 법적 책임을 추궁할 수 있다는 주장의 근거는 무엇인가?

로봇 형법 제정의 첫 번째 논거는 동물에 대해 형벌을 가했던 역사적 사실에 기초한다. 문화사적으로 보면 인간이 아닌 동물이나 사물에게 형벌을 부과했던 예들이 상당하기 때문에 지능형 기계장치에 형벌을 부과하는 것도 가능하다는 것이다. 사람이 아닌 존재에 대하여 책임을 추궁할 수 있다고 생각하는 사고방식은 중세와 근대에 통용되었다고 한다. 다음의 예를 살펴보자. 1557년 12월 6일 프랑스 생캉탱(Saint Quentin)에서는 어린이를 잡아먹은 죄로 돼지 한 마리가 산 채로 매장되었고, 1796년 여름 독일 오펜하임(Oppenheim)에서는 어린이를 살해한 죄로 돼지 두 마리가 처형되었다.[37] 그러나 이러한 역사적 사실이 존재한다고 해서 인간 이외의 대상을 비난하는 것을 법적·도덕적 의미의 형벌로 볼 수 없다. 계몽 시대에 형법의 지향점을 인간에 두는 형법적 인간중심

---

6) 로봇 형법의 제정을 주장하는 대표적인 학자로는 앞서 본문에서 언급한 마티아스를 들 수 있다.

주의의 등장으로 동물 등에 대하여 책임을 추궁할 수 있다는 관념은 자취를 감췄다.[38] 계몽주의와 함께 형벌의 목적을 단순히 응보로만 보기보다는 장래의 범죄 예방으로 보는 새로운 견해가 널리 퍼지게 되었다.[39] 따라서 이성이 없는 존재에 형벌을 부과하는 것은 형사정책적으로 합리적인 목적을 결여한 행동이다.

로봇 형법 제정의 두 번째 논거는 법적 의제에 기초한다. 법적 관점에서 인(人, person)에는 자연인과 법인이 있다. 법인이란, 법에 의하여 권리 능력이 부여되는 사단과 재단으로서 자연인이 아니면서 법적으로 인격이 있는 것으로 의제되어 법률상 권리와 의무의 주체가 된다.7) 로봇 형법 주창자들 중에는 지능형 로봇이 학습 및 판단에 필요한 지적 능력을 갖추고 의사의 자유에 기초하여 자율적인 결정을 내릴 수 있다는 점에서 인간과 유사하기 때문에 권리와 의무의 주체가 될 수 있도록 법적인 인격을 부여하는데 아무런 문제가 없다고 보는 학자들도 있다.[40] 그런데 법적 의제를 통해 인공지능 기계장치에 책임을 부과하고 처벌할 수 있다고 하면 그 책임과 처벌에서는 도덕적 비난이라는 요소가 제거된다. 왜냐하면 인공지능 기계장치는 선과 악을 구별할 수 있는 도덕적 판단능력을 가지고 있지 않기에 도덕적으로 비난할 수 없는 대상이다. 결국 도덕적 비난의 대상이 될 수 없는 지능형 기계장치를 처벌하는 데에는 진지함을 기대할 수 없고, 이러한 방식은 자연인

7) 법인의 본질에 관해서 법인실재설과 법인의제설의 대립은 이 글의 범위를 넘는 것으로 설명을 생략한다.

의 처벌에서도 진지함을 약화시킬 수 있다는 우려가 있다.[41]

또한 지능형 기계장치에도 재프로그래밍이나 분해와 같은 방식의 처벌이 가능함에도 불구하고 이를 규정하지 않으면 처벌의 공백이 생긴다는 것도 로봇 형법의 논거이다.[42] 우선 앞에서 살펴본 동물에 대한 처벌과 마찬가지로 재프로그래밍이나 분해를 형벌이라고 할 수 없기 때문에 이러한 논거는 설득력이 없어 보인다.[43] 그리고 현재 형법 체계에서는 위험원에 대한 광범위한 주의의무를 두고 있으므로 처벌의 공백이 발생할 것이라는 주장도 설득력을 가지지 못한다.[44]

정책적 입장에서 자율주행자동차의 활용으로 인해 발생할 수 있는 위험의 문제를 처벌할 필요가 있다고 해서 단순히 관련 처벌 규정을 만드는 데 그쳐서는 안 된다. 여기에는 인공지능의 형법적 주체성에 대한 법이론적 고민이 요구된다. 다시 말해, 자율주행자동차와 관련된 형사정책적 입법을 강구하는 데 있어서 인공지능 자체의 행위능력, 형사책임, 형벌능력 등에 대한 이론적 논의가 전제되어야 한다.[45] 그런데 앞서 살펴본 바와 같이 형벌이라는 것은 인간의 의지적 행위에 대한 책임 추궁을 전제로 하고, 형벌은 그러한 인간 행위자의 자유와 권리를 제약하는 진지한 조치라는 점에서 인공지능을 형법적 주체로 인정하기는 어렵다. 그렇다면 자율주행자동차가 야기하는 위험 문제에 대한 대응은 누가 그 위험한 결과의 발생을 예측하고 이를 회피할 의무를 지느냐의 문제로 전환된다. 이에 관해서는 민사적 개념인 제조물책임을 형법적 책임으로 확대하여 해결하자는 견해도 있다.[46] 이처럼 자율주행자동차 운행과 관련된 형사적 책임 문제는 단순히 정책적 선택의 문제가 아니라 인간, 행위, 책임, 형벌 등 형법의 본질적인 개념들에 대한 재검토를 요구한다.

지금까지 자율주행의 다양한 스펙트럼, 자율주행자동차 개발과 상용화를 위한 법제 현황, 현행 「자동차관리법」에 의한 제재 가능성, 현행 법제 안에서 자율주행자동차가 연루된 교통사고에 따른 형사적 문제의 해결 가능성, 그리고 완전한 자율주행자동차 자체에 형사적 책임을 묻자는 주장의 타당성에 관해서 알아보았다. 완전한 자동화 단계의 자율주행자동차 기술이 완성되기도 전에 형사적 제재를 포함한 법적 제재를 논하는 것이 과학기술 발전을 저해하는 것처럼 비춰질지도 모른다. 그러나 자동차는 인간의 활동 반경을 넓혀주는 유용한 기계장치이지만 그 운행상의 작은 실수로도 인간의 생명을 앗아갈 수 있다는 점에서 위험한 물건이기도 하다. 따라서 입법자들은 인간의 주의의무를 경감시켜줄 수 있을 것으로 기대되는 자율주행자동차 기술에 관한 법제도를 마련하는 데 있어서 자동차의 유용성과 위험성을 모두 고려해야 한다. 우선 입법자들은 경제적 효과뿐만 아니라 운전이 어려운 사람들에 대한 복지의 향상과 같은 긍정적인 효과가 예상되는 자율주행자동차 기술의 연구 · 개발을 지원하는 법안을 통해서 관련 연구기관 및 기업들이 자율주행자동차의 자동화 수준을 빠른 시일 내에 끌어올릴 수 있도록 조력할 필요가 있다. 아울러 자율주행이라는 새로운 자동차 운행 방식은 교통사고가 발생할 경우 기존의 책임 귀속 체계로는 문제를 해결할 수 없기 때문에 이에 대한 형사정책적 노력이 필요하다.

5장
자율주행자동차 입법 로드맵

심우민

최근 국내외적으로 지능정보기술의 활용에 대한 관심이 높다. 이러한 관심이 집중되고 있는 대표적인 사례가 이 글에서 논하고자 하는 자율주행자동차이다. 과거 공상과학 소설이나 영화에 등장하던 자율주행자동차의 상용화가 이제 눈앞에 다가왔다. 사람(자연인)이 직접 운전을 하지 않더라도, 그가 원하는 곳으로 용이하게 이동할 수 있다는 사실은 충분히 세간의 주목을 받을 만하다.

자율주행자동차 기술의 발전은 하루아침에 이루어진 것은 아니다. 그러한 기술을 개발하기 위한 노력이 비교적 최근에서야 결실을 맺고 있을 뿐이다. 자율주행자동차 상용화를 앞두고 있지만 이에 대한 규범적 규율 문제는 아직까지 진지하게 논의되어 오지 못했다. 그 이유는 법이나 규범의 문제는 항상 사안이 구체화된 후에야 그것에 대한 규범적 대응방안이 구체화될 수 있기 때문이다. 즉 어떠한 방식으로 기술이 구현되고, 그 기술이 사회에 어떤 영향을 미칠 것인지 예측이 어렵기 때문이다. 특히 자율주행자동차 구현의 핵심 전제인 인공지능 또는 지능정보 기술은 그것이 가지는 자율성으로 인하여 더욱더 예측이 힘들다.[1]

최근 들어, 굴지의 자동차 생산업체들은 물론이고, 글로벌 IT 기업들까지 자율주행자동차의 상용화에 앞장서고 있다. 아마도 수년 내에 자율주행자동차는 우리의 일상생활 속에 자리 잡게 될 것이다. 따라서 자율주행자동차 운행과 관련한 규제 입법정책을 본격적으로 검토해야 할 필요성이 커졌으며, 비교적 최근에는 다양한 측면에서의 법규범적 분석이 담론적 차원에서 이루어지기 시작하고 있다.

그런데 입법정책적 대안들을 고민함에 있어서 마주하게 되는 가장 큰 문제는, 자율주행자동차의 상용화가 임박했음에도 불구하고, 아직까지 그것의 사회적 영향을 구체화하기 힘들다는 점이다. 이와 더불어, 자율주행자동차의 규제 문제가 전통적인 자동차 규제는 물론이고 종전의 IT 규제 문제와도 깊은 연관성을 가진다는 점[1)]은 관련 분야 입법정책 논의의 난관을 더욱 증폭시키고 있다. 물론 현실적으로는 자율주행자동차의 상용화 이후에 제반 문제점들을 명확히 하고, 이에 대한 (입)법적 대응방안을 고민해 볼 수도 있을 것이다. 그러나 법규범을 형성하는 데 많은 시간이 소

1) 자율주행자동차 기술은 전형적인 자동차 기술에 더하여, 자율주행 장치의 구동에 필요한 다양한 데이터의 송수신 및 분석을 위한 IT 기술이 집약되었다고 평가할 수 있다.

요된다는 점 등을 고려하면, 사전에 입법정책적 쟁점들을 구체화해 나가야 할 필요가 있다.

따라서 이 글에서는 자율주행자동차에 관한 입법정책을 결정하는 데 있어 유의해야 할 쟁점들은 물론이고, 견지해야 할 관점들을 다루고자 한다. 특히 구체적인 법 개정 사항보다는 사회구조적 차원에서의 변화 등을 고려한 다소 거시적인 입법정책 결정의 배경에 주목하고자 한다. 그 이유는 세부적 법(령) 개정의 문제는 자율주행자동차의 상용화 및 보편적 활용 행태에 따라 달라질 수 있기 때문이다.

1. 자율주행자동차 입법 배경이론

1) 현재 입법논의의 문제점

자율주행자동차에 관한 입법 문제에 있어, 아직까지는 국내외에서 임시운행 및 시험운행을 위한 입법이 주로 이루어졌을 뿐이다.[2] 이는 상용화에 앞서 관련 기술을 적용한 자동차 운행실험에 대한 법적 근거를 제공하기 위한 것으로, 현재 시점에서는 임시운행 단계를 넘어선 통상운행 및 주행 단계의 법제를 온전히 구축한 나라는 없다고 볼 수 있다. 결과적으로 향후 쟁점은 통상운행 단계에 적용할 수 있는 법(령)들을 어떠한 방향으로 형성해 나갈 것인지의 문제이다.

국내에서 자율주행자동차와 연계된 다양한 법적 문제들에 대한 논의는 비교적 최근에서야 본격적으로 시작되었다. 그러나 현재 진행 중인 자율주행자동차 관련 국내의 입법 논의는 다음과 같은 문제점이 있는 것으로 평가할 수 있다.

첫째, 단기적 입법과제와 장기적 입법과제가 중첩되었다. 자율주행자동차 기술은 아직까지 궁극적인 완성단계에 도달했다고 보기는 힘들다. 초기 상용화 이후 상당기간 동안 자율주행자동차는 제한적 자동화(limited automation) 단계에 머물 것으로 예측된다. 즉 인간이 운전에 전적으로 개입하지 않거나, 인간 없이 운행하는 단계의 완전 자동화 기술이 적용된 자율주행자동차의 상용화까지는 상당히 시간이 걸릴 것으로 보인다. 그러나 현재의 입법정책에 관한 학계의 논의는 제한적 자동화라는 단기적 전망과 함께, 완전 자동화 단계라는 장기적 전망에 입각한 법적 문제까지 논하고 있다. 물론 이러한 논의가 전적으로 의미가 없는 것은 아니지만, 단기적 과제와 장기적 과제가 상호 중첩됨으로써 구체적 입법정책 대안의 구성을 명확히 하는 데 어려움이 있다.

둘째, 현재 논의는 자율주행자동차의 핵심 기술적 전제인 인공지능(artificial intelligence)에 대한 과도한 전망에 기반을 두고 있다. 자율주행자동차와 마찬가지로 그 전제인 인공지능 기술도 아직까지는 온전한 형태의 자율성을 가지기는 힘들다. 기술적 개체가 완전한 자율성을 가지기 위해서는, 단순히 인간과 같은 수준의 '지능'뿐만 아니라 '감성(정)' 및 '직관'에 관한 능력까지도 구비할 수 있어야 하는데, 아직까지 기술적으로 이러한 능력까지 구현할 수 있는 것인지는 불분명하다. 그럼에도 불구하고, 과도한 기술적 전망을 근거로 현실 (법)규범을 논하고 있는 문제점이 있다. 이는 물론 앞서 언급한 장단기적 입법과제의 중첩이라는 문제와 동일한 맥락이라고 할 수 있지만, 여기에서 지목하고자 하는 문제점은 기술발전을 과도하게 신뢰함으로써 현실 법규범적 대응 논의가 무의미해질 수 있다는 점이다.

셋째, 자율주행자동차 기술을 상용화하는 단계에서 발생할 수 있는 문제들을 기존의 규제를 철폐하거나 일부 개혁함으로써 단순하게 해결하려는 경향이 나타나고 있다. 새로운 기술 도입은 항상 사회적 규범 또는 규제 관념의 변화를 유발한다. 대표적인 사례가 바로 인터넷 등 IT 기술의 일상화였다고 볼 수 있다. 종래 인터넷 등의 보편화와 더불어 상당한 법규범적인 변화가 수반되었다. 따라서 신기술의 도입은 규제개혁의 필요성을 높일 수밖에 없는 측면이 있다. 그러나 그렇다고 기존의 법적 규제의 상당 부분을 구악(舊惡)으로 단순하게 평가해 버리는 논의는 그다지 바람직하지 못하다. 기술발전과 그에 따른 사회 구조의 변화에도 불구하고, 전통적인 규제가 가지고 있는 규범적 가치를 유지할 필요가 있는 경우도 있기 때문이다.

넷째, 현 시점에서 진행 중인 자율주행자동차 관련 입법 논의는 대부분 전통적인 자동차 제조 및 운행에 관한 법적 문제에 초점을 맞추고 있다. 그러나 자율주행자동차의 기술적 근간은 인공지능 및 지능정보 기술이며, 이는 이제까지 발전해 온 IT 기술을 토대로 한다. 따라서 현존하는 IT 법학 논의에도 주의를 기울여야 한다. 소프트웨어 및 알고리즘 제작의 안정성과 책임에 관한 문제, 네트워크 사업자 및 정보통신서비스 제공자의 서비스 제공 등을 둘러싼 다양한 법적 쟁점들은, 자율주행자동차의 안정적 운행을 위한 필수적 전제이기 때문이다. 실제 자율주행자동차의 개발이 전통적인 자동차 제조업자들은 물론이고 글로벌 IT 기업들에 의해서도 추진되고 있다는 점은 IT 기술 및 관련 규제에 대한 고민의 필요성을 대변해 준다.

다섯째, 현재 논의되고 있는 국가 공동체 측면에서의 논의 초점은 자율주행자동차 운행으로부터 발생하는 위험의 방지 및 대응보다는, 관련 산업 진흥의 측면에 집중하는 양상을 보인다. 기술 개발 초기에 자율주행자동차에 대한 규제 담론이 증가하면 투자 자본의 위축이 발생하고, 그로 인해 관련 산업 진흥정책이 정상적으로 추진되기 힘들다. 이러한 맥락에서 일반적으로 신규 산업에 대한 규제는 매우 더디게 형성되는 경향이 있다. 그러나 현재 자율주행자동차 기술의 상용화가 근시일 내에 이루어질 것이라는 점, 자율주행자동차 활용으로 인해 얻을 수 있는 편익만큼이나 그로 인한 위험성도 증대될 가능성이 높다는 점 등을 고려하면, 현 시점에서는 위험성에 대한 입법정책적 대응방안을 본격적으로 고민해야 한다. 물론 이는 관련 산업의 진흥을 가급적 저해하지 않으면서, 자율주행자동차의 안전한 활용을 추구할 수 있는 균형 있는 접근을 전제로 할 필요가 있다.

여섯째, 현재는 자동차산업 및 도로교통의 문제에 국한하여 논의가 진행되는 측면이 있다. 자율주행자동차의 활용은 사회구조적인 변화와 밀접하게 연계될 것으로 보인다. 자율주행자동차가 도입되면 전통적인 운수산업 및 관련 종사자들의 생계에는 중대한 위협이 발생할 가능성이 높다. 사실 이러한 문제는 인공지능 및 지능정보 기술을 활용하게 될 모든 산업영역에서 발생할 수 있다. 따라서 종래의 산업 및 근로관계의 구조조정이 불가피할 것으로 보인다. 이러한 견지에서 자율주행자동차 관련 논의는 사회 구조적이고 거시적 관점에서 이루어져야 할 필요가 있다. 만일 이러한 논의가 순조롭게 진행되지 않는다면, 현재의 부의 양극화 현상은 더욱 극심해질 것으로 예견된다.

이상의 문제점들을 종합해 보자면 다음과 같다. 자율주행자동차에 관한 현재의 입법정책적 논의는 신기술 출현에 상당한 기대감을 보이는 것과는 대조적으로, 현실적인 입법논제의 방향성에 대해서는 상당한 혼선을 빚고 있는 상황이다. 왜냐하면 무엇보다도 입법전략이 부재하기 때문이다. 입법전략의 부재는 달리 말하여 자율주행자동차 등 지능정보 기술의 도입으로 인해 변화하게 될 이상적 사회상에 대한 명확한 전망이 존재하지 않는다는 점을 의미한다. 그리고 이러한 이상적 사회상이 존재하지 않기 때문에 이를 향한 단계적인 전략 또한 존재할 수 없는 상황이다.

2) 기술과 법의 관계

자율주행자동차에 관한 현실성 있는 입법정책적 대응방안을 마련하기 위해서는 기술과 법의 관계를 명확히 할 필요가 있다.

현재 상용화가 논의 중인 자율주행자동차는 인공지능 등 지능정보 기술의 비약적 발전으로 인한 법규범 변화의 필요성에 바탕을 두고 있기 때문이다. 물론 기술과 법이 상당히 밀접한 연관성을 가지고 있다는 점은 당연하게 받아들여지고 있다. 그러나 현실적으로 기술과 법의 관계에 대한 직접적인 학술적 분석은 쉽게 찾아보기 어려운 실정이다. 단지 특정 기술영역의 발전과 변화를 실정법적으로 어떻게 수용할 수 있는지에 대한 실무적인 사안에만 집중하고 있다. 이는 결과적으로 다분히 임시방편적 입법대안으로 귀결되어, 오늘날 우리나라의 IT 규제체계와 같은 매우 비체계적인 법적 구조가 출현하는 원인이 되곤 한다.

기술과 법의 관계에 대해서는 기술과 사회의 관계에 관한 종래 정보사회학 담론으로부터 시사점을 얻을 수 있다. 기술과 사회에 관한 논의지형은 '기술결정론(technology determinism)', '사회구성주의(social constructivism)', 그리고 '기술-사회 공진화론(co-evolution of technology and society)' 등으로 구분할 수 있다.[3] 기술결정론은 일종의 기술낙관주의에 해당하는 것으로 사회적인 요인들은 기술적 발전에 따라 변화한다는 입장이다. 반면 사회구성주의는 기술발전이 사회의 필요에 따라 이루어진다는 주장이다. 즉 기술결정론은 사회적 요인을 기술적 발전의 종속변수로 보고 있으며, 사회구성주의는 기술적 발전을 사회적 요인의 종속변수로 본다. 그러나 현실적 측면을 고려해 볼 때, 이러한 양 극단의 견해는 상호 절충이 필요하다. 사실 사회적 필요에 따른 기술 개발이 이루어질 수도 있지만, 이와 반대로 새로운 기술의 개발 및 출현으로 인하여 새로운 사회적 필요가 발생하기도 하기 때문이다. 이는 결국 '닭이 먼저냐 달걀이 먼저냐'와 같은 무의미한 논쟁일 수 있다.

따라서 현실적으로 기술과 사회의 상호 영향을 인정함을 전제로, 이 둘의 관계 분석에 초점을 맞출 필요가 있다. 이러한 측면에서 제기되는 입장이 바로 '기술-사회 공진화론'이다. 기술-사회 공진화론이란 기술발전이 사회적 변화와 필요를 추동하기도 하고, 사회적 변화와 필요가 기술발전을 추동하기도 한다는 관점으로, 이를 적극적으로 수용할 필요가 있다. 이러한 기술-사회 공진화론적 함의는 기술과 법의 관계에 그대로 원용될 수 있다. 기술이 법의 종속변수가 될 수도 있고, 법이 기술의 종속변수가 될 수도 있다. 이러한 원론적 관점은 현재의 신기술 도입에 관한 규제 논의에 상당한 시사점을 제공해 준다. 일반적으로 새로운 기술이 출현하게 되면 그 기술이 선사하는 가능성과 유용성에 주목하다 보니, 이를 사회적으로 수용하기 위한 법(령) 개선의 필요성이 주목받게 된다. 그 결과 무분별한 규제 철폐 혹은 개선의 요구가 발생하는 경우가 많다. 그러나 역으로 기술 도입으로 인하여 이전에는 예측할 수 없었던 새로운 사회 문제가 대두될 수 있다는 점은 상대적으로 소홀하게 다루어지는 경향이 있다. 그러한 사회 문제에 대응하기 위해서는 기술 개발 및 활용 방식을 일정 부분 법을 통해 유도하는 방안을 고민할 필요가 있다. 바로 이 지점에서 기술-사회 공진화론의 함의를 기술과 법의 관계 논의에서 원용할 수 있다.

입법정책적 측면에서 이러한 기술-사회 공진화론의 실천적 구현을 위해서는, 기술과 관련한 (법)규범 형성에 있어 사회 구성원들 간의 소통, 즉 '소통적 규범형성'이 중요하다.[4] 새로운 기술의 출현에 관한 법규범적 기준 설정을 위해서는 사회적 필요와 요구를 반영할 수 있어야 한다. 이러한 과정을 통해 전통적인 법규범적 가치 중에서 유지해야 할 가치와 유지할 필요가 없는 가치에 관한 사회적 합의가 필요하다. 또한 기술적 발전으로 인해 변화된 사회상에 부합하는 새로운 규범적 가치를 사회적으로 논의해야 하는 경우도 있을 수 있을 것이다. 예를 들어, 우버 택시(Uber Taxi)의 국내 진출 문제를 두고 논란이 있었는데, 일각에서는 국내 규제가 기술적 변화를 수용하지 못하고 있다는 취지의 비판이 있었다. 일견 타당한 지적이라고도 볼 수 있지만, 다른 측면에서 보자면 이는 법적 규제 이면에 존재하는 기존 운수 사업자 및 노동자의 전통적 이해관계와 이에 관한 법규범적 가치(기대)로 인한 것이었다고 볼 수 있다. 따라서 우버 택시가 정상적으로 국내에 진출하기 위해서는 국내의 전통적인 이해관계 및 규범적 가치에 대한 진지한 고려는 물론이고, 이에 따른 사업방식의 일부 변경도 우선적으로 생각해 보았어야 했다는 비판이 가능하다.

자율주행자동차에 관한 입법정책 결정에 있어서도 기술과 법의 관계에 관한 진지한 고민이 선행되어야 한다. 자율주행자동차의 국내 도입을 위하여 기존의 법적 규제를 개선해야 할 필요가 있는 것은 사실이지만, 그 과정에서 반드시 새로운 규범 설정을 위한 사회적 공론과 소통이 필수적으로 요구된다.

3) 아키텍처 규제: IT 기술의 행위규범적 성격

자율주행자동차는 인공지능 등 지능정보기술에 근간을 두고 있다. 지능정보기술은 앞서 잠시 언급했던 바와 같이 전통적인 정보 또는 IT 기술의 비약적 발전을 토대로 하고 있다. 즉 인공지능 기술은 네트워크(Network), 빅데이터(Big Data), 클라우드 컴퓨팅(Cloud Computing), 사물인터넷(Internet of Things) 등과 같은 최신 IT 기술의 총화를 전제로 한다. 이러한 IT 기술은 인간 행위의 새로운 가능성을 열어주기도 하는 반면, 그것을 제약하기도 한다. 예를 들어, 인터넷은 당초 연결성과 개방성을 기초로 설계된 네트워크이기 때문에 인간에게 다양한 소통의 가능성을 제공했지만, 네트워크의 구조 자체가 인간에 의해 구성되었다는 점에서 그러한 연결성과 개방성은 관련 서비스 제공자의 의도에 따라 언제든지 용이하게 차단될 수 있는 기술적 성격을 가지고 있다. 이와 연계된 IT 법학 분야의 논의가 바로 아키텍처 규제(architectural regulation)이다.[5]

아키텍처란 자연적으로 존재하는 물리적 구조와는 달리 인간에 의해 설계되고 구축된 구조라고 할 수 있다. 이러한 아키텍처는 단순히 인간적 의지의 투영 대상으로만 존재하는 것이 아니라, 그 자체가 행위의 시공간적 한계를 설정함으로써 인간 행위를 규제하는 기능을 수행한다. 이러한 규제양태를 아키텍처 규제라고 부른다. 이와 유사한 견지에서 최근에는 인공지능 등의 소프트웨어 코딩방식 등에 주목하고 있는 알고리즘 규제(algorithmic regulation)라는 용어도 등장했다.[6]

앞서 설명한 기술과 법의 관계에 관한 논의를 확장해 보면, 법규범적 가치는 기술적 구조, 즉 아키텍처에 반영되는 내용과 방식에 관한 구체적인 쟁점들을 부각시켜 주는 측면이 있다. 기술 자체가 지향해야 할 행위규범적 요인을 확인함으로써 기술의 규범 가치적 타당성 여부를 판단해야 한다. 만일 기술 그 자체가 부당한 행위규범적 요인을 가지고 있는 경우에는 법규범을 통하여 기술 구성 방식을 사회적 가치에 부합하는 방향으로 변경 및 유도할 필요가 있다. 이러한 검토가 이루어지지 않는다면, 법규범을 통한 정상적인 입법의지의 실현은 불가능하다. 입헌주의 구조에서 인간 행위의 규제(기본권 제한)는 입법절차를 통해 제정된 법률들을 근거로 이루어져야 하는데, 아키텍처(기술)의 조종을 통한 규제의 문제를 등한시하면 실질적으로는 관련 분야 엔지니어들(또는 그들을 고용하고 있는 사업자들)에 의한 규제가 이루어지는 양상이 출현할 수 있기 때문이다. 따라서 기술적 아키텍처 구성에 관한 법규범적 개입은 매우 섬세하게 이루어져야 한다. 물론 이러한 개입이 과도할 경우에는 자율적이고 창의적인 기술발전을 저해할 수 있다는 점을 유의해야 한다.

아키텍처 또는 알고리즘 규제 문제는 자율주행자동차와 같은 지능정보기술의 활용에서는 더욱 복잡한 문제를 발생시킨다. 이제까지 인터넷 및 소프트웨어 등 IT 기술 영역에 있어 아키텍처는 단순히 인간이 선택하는 객체로서만 평가받아 왔다. 그러나 지능정보기술이 발전함에 따라 아키텍처가 자율적으로 일정한 선택을 수행할 수 있는 상황이 되어가고 있으며, 이러한 기술 환경은 우리 생활 곳곳에 매우 빠른 속도로 내재화되어 가고 있다. 그러나 문제는 향후 아키텍처가 어떠한 형태와 방식으로 주체적 · 환경적 확장을 거듭할 것인지가 불분명하다는 점이다. 그 이유는 아키텍처 그 자체가 어떠한 양상으로 자율적 지능을 가지고 자기재생산을 해낼지를 정확하게 예측할 수 없기 때문이다.

그러나 아키텍처의 주체적 · 환경적 확장은 근대 법적 규율의 근간을 상당 부분 변모시킬 것으로 판단된다.[7] 우선 아키텍처의 지능화와 관련하여, 아키텍처의 확장은 자유주의 법치질서의 근간이라고 할 수 있는 인간과 그 인간의 이성을 중심으로 한 주체성에 관한 법관념의 변화를 추동할 것이다. 이는 자율적 지능을 가진 (기계적) 개체가 인간과 동등한 법적 주체, 즉 권리와 책임 귀속의 주체로 등장할 수 있다는 가능성을 의미한다. 그리고 아키텍처가 내재화된 환경의 출현과 관련해서는 근대 법적 규율의 핵심 수단인 시공간 개념이 상당 부분 변모됨으로써 법규범의 구현방식에도 일정 부분 변화가 발생할 것이라는 예측이 가능하다. 물론 이러한 변화는 현재의 기술 상황으로 볼 때 지금 당장 이루어질 수 있는 것은 아니지만, 중장기적으로 보이지 않는 양상으로 일상생활 환경 속에 보편화될 것이라고 예측된다.

이상과 같은 법적 차원의 주체성 및 환경의 변화는 종래의 법적 규제관념의 변화를 불러일으킬 것으로 보인다. 다양한 유형의 법적 주체성이 출현하면서 개인에 대한 권리 및 책임 귀속의 문제는 더욱 복잡해질 것이고, 궁극적으로 그러한 귀속의 문제를 해소하기 위한 국가 공동체적 대응의 일환으로 위험관리 중심의 법관념이 보편화될 것으로 보인다. 이러한 위험관리 측면에서 논해볼 수 있는 것으로는 위험책임 및 무과실책임의 법리가 있다. 즉 이러한 법리는 현재로서는 다소 예외적인 것이라고 할 수 있지만, 향후 지능정보기술이 일상화된 사회에서는 지배적인 법리의 지위를 차지할 수도 있을 것이다. 개인에 대한 권리 및 책임 귀속의 법리상 변화는, 궁극적으로 개인 중심의 법관념으로부터 사회 구조차원의 법관념으로의 변화를 추동할 것으로 예측된다. 사회 곳곳에 내재화된 아키텍처로 인해 발생할 수 있는 다양한 법적 쟁점들은 개인 단위의 문제로 귀결되기보다는 국가 공동체 단위의 대응 문제로 귀결될 가능성이 높다.

4) IT 생태계 및 기술의 고려

자율주행자동차의 규제와 관련하여 현재 주류적으로 논해지고 있는 법률들로는 「자동차관리법」, 「도로교통법」, 「도로법」 등의 공법적 규율 영역, 「민법」, 「자동차손해배상 보장법」, 「제조물책임법」 등의 민사책임 영역, 그리고 「형법」, 「교통사고처리 특례법」, 「도로교통법」상 형사처벌 규정 등의 형사책임 영역에 관한 것들이 있다. 그러나 자율주행자동차의 상용화는 기본적으로 IT 기술과 연계된다는 점에서 종전 자동차 관련 규제에서는 전혀 결부되지 않았던 IT 유관 규제분야의 규제들에 대한 검토가 반드시 이루어져야 한다.

첫째, 자율주행자동차 상용화와 직접적 관련성이 있는 문제는 IT 산업 생태계 규율에 관한 문제이다. 과거 자동차산업 분야의 규제를 논하면서는 논해지지 않던 IT 규제 이슈들이 자율주행자동차 규제와 관련하여 언급이 불가피하게 될 것이다. IT 산업 생태계 규제에 관해서는 일반적으로 C–P–N–D(Content–Platform–Network–Device)라는 레이어 모델(Layers Model)이 논해진다.[8] 레이어 모델의 취지는 각 규율영역별 규제의 상이성을 고려해 전반적인 IT 생태계의 선순환을 확보해 줄 수 있는 규제방식을 고민해야 한다는 것으로 이해될 수 있을 것이다. 이를 개괄적으로 논해보자면, 콘텐츠(Contents)와 기기(Devices) 영역은 직접적인 법적 규제가 효과적일 수 있지만, 플랫폼(Platform)과 네트워크(Network) 영역은 아키텍처 규제가 중요하기 때문에 법규범은 이러한 아키텍처를 유도하는 방식으로 규제를 수행하는 것이 효과적일 것이다.

이러한 IT 생태계와 연관성을 가지는 요인들은 자율주행자동차의 상용화와 관련하여 필수적으로 논의해야 한다. 예를 들어, 자율주행자동차의 자율적 판단에 따른 운행은 소프트웨어적인 알고리즘(아키텍처)에 근간을 두게 될 것이고, 그러한 자율적 판단을 위한 다양한 데이터는 통신 네트워크를 통해 송수신될 것이기 때문이다. 이 과정에서 다양한 법률적 문제가 발생할 여지가 높다. 이와 관련하여 논의할 수 있는 주요한 법률들로는 「전기통신사업법」, 「정보통신망 이용촉진 및 정보보호 등에 관한 법률」, 「위치정보의 보호 및 이용 등에 관한 법률」, 「개인정보 보호법」, 「소프트웨어산업 진흥법」, 「저작권법」, 「공간정보의 구축 및 관리 등에 관한 법률」, 「전파법」 등이 있다. 이는 달리 말하여, 이제까지 논해져 왔던 IT 생태계 및 그 규제에 관한 문제가 자율주행자동차와 관련한 규제 문제와 동떨어질 수 없다는 사실을 보여준다.

둘째, 자율주행자동차 기술은 포괄적으로 보자면 IT 기술의 다소 전형적인 발전 경향과 맥락을 크게 벗어나지 않을 것으로 보이기 때문에, 이에 맞는 유효한 단계별 대응전략을 구축할 필요가 있다. 일반적으로 지능정보기술과 같은 IT 기술은 그 특성상 현격한 기대의 시기를 거친 이후 다소 침체기를 겪으면서 안정화되는 변화를 겪게 될 것으로 예상된다(boom-bust 현상). 이러한 상황은 인터넷 도입 초기에 있었던 다양한 이상사회 구현에 관한 논의와 그 이후의 현실을 비교해 보더라도 알 수 있다. 실제로 '유비쿼터스(Ubiquitous)'사회의 실현과 같은 기술적 기대는 10여 년이 지난 지금 '초연결사회(hyper-connected society)' 또는 '사물인터넷'과 같은 용어로 아직까지 유사하게 논의가 진행되고 있다. 이러한 IT 기술의 경향성은 매년 가트너(Gartner)에서 발표하는 〈그림 5-1〉과 같은 최신 기술에 관한 하이프(Hype) 곡선으로 확인해 볼 수 있다. 이 곡선은 새로운 IT 기술 등이 출현하면서 초기에는 과도한 기대가 이루어지지만, 결국에는 그러한 기대가 점차 가라앉은 연후에 완만한 발전을 이루게 된다는 점을 보여준다.

실제로 현재 자율주행자동차를 비롯한 지능정보기술에 대한 사회적 기대는 매우 극대화된 상황이다. 이러한 기대감은 미래의 자율주행자동차 활용에 관한 모종의 공감대를 형성하는 데에 일정

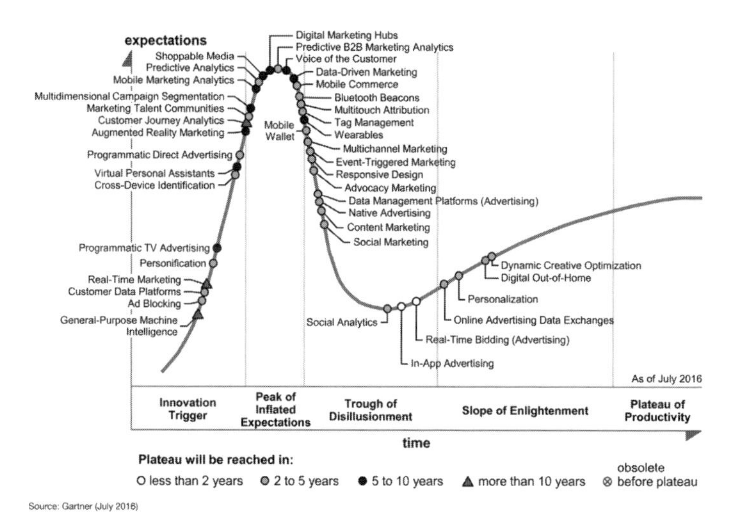

〈그림 5-1〉 최신 기술 하이프 곡선

부분 도움을 줄 수 있겠지만, 현실에서 적용될 법규범을 형성하는 데 있어서 과도한 예측은 오히려 사회적 비용을 증가시킬 가능성이 높다. 따라서 현실적인 IT 기술의 발전 가능성은 물론이거니와 현 단계에서 구현하고 상용화가 가능한 서비스 등에 대한 명확한 인식을 바탕으로 단계별 규제 입법전략을 마련할 필요가 있다.

2. 자율주행자동차 입법 로드맵의 필요성과 과제

1) 자율주행자동차와 법규범

자율주행자동차의 법규범적 기초에 관한 논의는 일반적으로 자율주행자동차의 윤리적 판단과 그에 따른 책임 문제에 집중하고 있는 양상이다. 매우 기초적 수준의 윤리학적 전통 주제임에도 불구하고, 거의 모든 논의에서 등장하는 논제가 바로 '트롤리 딜레마(Trolley Dilemma)'이다. 이는 레일 위를 달리던 전차가 어떠한 이유에서든 멈출 수 없는 상황에서, 한 쪽으로 갈 경우 5명의 사람을 사망에 이르게 할 수 있고, 다른 쪽으로 갈 경우 1명의 사람을 사망에 이르게 할 수 있는 경우, 윤리적 차원에서 어떠한 판단을 하여야 하는지와 같은 윤리적 선택의 딜레마 상황에 결부된 판단 문제이다. 트롤리 딜레마에 관한 문제는 오랜 시간 동안 논의되어 왔지만, 최근 들어 자율주행자동차의 운행과 관련하여 이러한 상황에 대한 윤리적 판단을 어떻게 알고리즘화할 것인지의 문제와 관련하여 재차 주목받고 있다.

그러나 이러한 딜레마적 상황에서의 판단 문제가 과연 현실의 '법적 문제'와 얼마만큼 연관성을 가질 수 있는지에 대해서는 제대로 논의된 적은 없는 듯하다. 기본적으로 위와 같은 문제 상황에서 인간의 윤리적 판단 중 무엇이 정답이라고 결정하기 어렵다. 그것은 5명의 생명과 1명의 생명의 가치를 단순히 비교할 수 없기 때문이다. 이는 위 사안에 관한 법적 판단 및 평가에 있어서

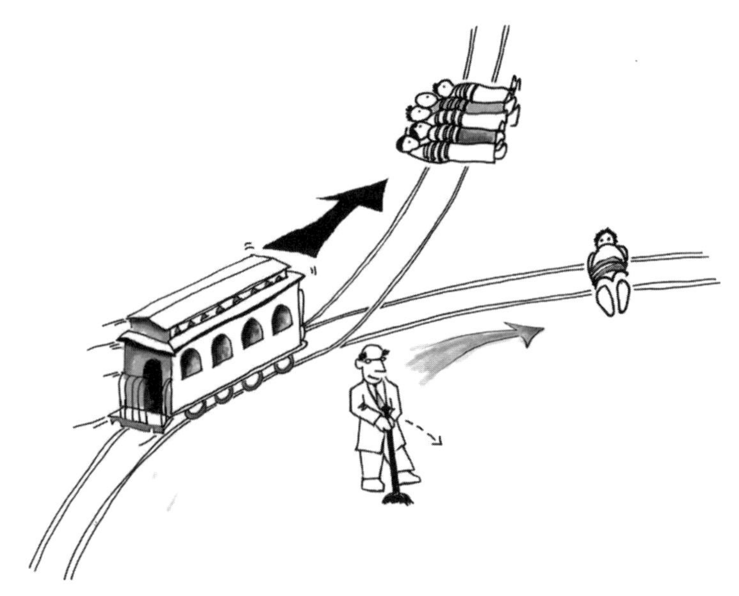

〈그림 5-2〉 트롤리 딜레마
* 출처: David Edmonds, Would You Kill the Fat Man?: The Trolley Problem and What Your Answer Tells Us about Right and Wrong(Princeton University Press, 2015), p.9.

도 마찬가지다. 결국 법적인 측면에서 이러한 논의는 인간에게도 어려운 판단을 자율주행자동차와 같은 기계가 판단하도록 하겠다는 다소 실익이 적은 논제라고 할 수 있다. 물론 이러한 설명은 딜레마적 상황에서의 선택 및 판단에 관한 논의가 윤리적 차원에서 전혀 의미가 없다고 주장하는 것이 아니라, 자율주행자동차와 관련한 법규범 설정작업에 있어서는 크게 실익이 없다는 점을 설명하고자 한 것이다.

위와 같은 윤리적 논제에 관한 논의가 법규범적 논의와 연관성을 가진다는 점을 인정한다 할지라도, 마찬가지로 윤리적 판단

가능성 그 자체는 자율주행자동차의 알고리즘 구성에 있어 그다지 큰 실익은 없고, 오히려 준거기준에 관한 논의를 더 어렵게 할 가능성이 높다. 이것은 윤리적 차원의 '도덕 추론(moral reasoning)'과 법적인 차원의 '법적 추론(legal reasoning)'의 차이를 통해 더욱 명확히 해볼 수 있다. 기본적으로 인간이 행하는 도덕 추론은 개인이 가지는 가치(관)에 따라 다양한 결과들이 도출될 수 있는 성격, 즉 다원성을 가지고 있다. 이에 반해, 법적 추론은 국가 공동체적으로 합의된 규칙에 근거하여 이루어지기 때문에 도덕 추론에 비해서는 도출 결과의 다양성 폭이 상당히 제한적일 수밖에 없다. 물론 실정화된 법규범의 해석은 불가피하기 때문에 그 해석과정에 추론 및 판단자의 주관적 도덕 추론이 개입할 여지가 존재한다.[2] 그렇지만 법적 추론의 판단 재량 범위가 도덕 추론의 그것에 비하여 다분히 제한적이라는 점을 부인하기 힘들다. 따라서 초기의 자율주행자동차의 상황판단 알고리즘을 구축하는 데 있어서는 도덕 추론 방식보다는 현행 관련 법규를 전제로 한 법적 추론 방식을 원용하고, 향후 이와 관련한 세부적인 판단기준들을 추가 및

---

2) 이와 관련하여 법인지과학에 관해 연구하고 있는 윈터 교수의 견해는 경청할 만하다. 그는 법적 추론이라는 것도 고정적 의미와 규칙에 의해 진행되는 것은 아니지만, 그렇다고 하여 절대적으로 불확정적인 것도 아니라고 언급한다. 즉 그는 법이론은 근본적으로 의미 구성의 작업으로서, 어떤 진술, 지침, 규칙이든 간에 그것이 인간 일상에 적용될 수 있는 것은 활용되고 있는 개념들이 확정적인 논리적 기반을 가지고 있기 때문이 아니라, 사람들이 서로 공유하는 이상적 인지모형(idealized cognitive models)이 존재하기 때문이라고 한다. Steven L. Winter, *A Clearing in the Forest: Law, Life, and the Mind*(University of Chicago Press, 2003).

증보해 나가는 것이 필요할 것으로 보인다.

물론 모든 개인들이 마주치는 모든 사안에 있어 윤리적이고 법적인 추론과정을 통해 모종의 판단을 수행하는 것은 아니다. 일반적으로는 각 개인은 직관적인 판단을 동원하기 때문에 복잡하고 논리적인 추론과정을 거치지는 않는다. 그러나 인공지능 알고리즘 구성에 있어서는 윤리적 · 법적 추론 방식을 넘어서는 직관적 판단방식을 활용할 수 있는 것인지가 기술적으로 불분명하다. 특히 인간의 직관적 판단에는 감성(정)적 요인들을 다분히 고려할 수밖에 없다고 볼 수 있는데, 현재의 기술 수준에서 인공지능이 이러한 감성을 가질 수 있는 것인지는 명확하지가 않다. 따라서 현실적으로 기존에 논쟁이 적은 윤리적 기준 또는 법적 기준에 입각하여 인공지능의 판단 알고리즘을 구축하는 방안이 가장 현실적이라고 할 수 있다.

실제 자율주행자동차가 활용하고 있는 인공지능 등 지능정보기술과 관련해서는 상당 기간 동안 '인공적 도덕 행위자(Artificial Moral Agent, AMA)'에 관한 논의가 이루어져 오고 있다.[9] 이러한 연구는 인간과의 소통을 전제로 한 인공지능 기술의 구성이라는 측면에서 중요하다. 그러나 AMA의 판단 알고리즘의 윤리적 구성에 있어서는 기존의 규범적 가치를 저해하지 않는 다양한 윤리적 판단방식들을 원용할 수 있을 것이며, 그 결과 인간의 윤리적 판단과 마찬가지로 다양한 가치들이 상호 경쟁할 수밖에 없다. 결국 AMA가 반드시 준수하여야 하는 윤리적 판단기준은 국가 공동체 또는 사회적 합의가 이루어져 있는 가치라고 할 수 있으며, 이러한 가치적 합의를 가장 명확하게 보여주는 것이 바로 실정화(문자화)된 법규범이라고 할 수 있다.

따라서 자율주행자동차와 연계된 현실적인 입법 및 법적 판단 문제와 관련하여 긴요한 작업은, 현존하는 법령 기준 중 그것을 알고리즘화한다고 했을 때 수정하거나 추가가 필요한 부분이 무엇인지를 고민하는 것이라고 할 수 있다. 이를 전제로 단기적으로는 현재의 법규범적 가치 속에서 위험 관리 및 이윤의 배분·조정 문제를 어떻게 해소할 수 있는지를 중점적으로 고민해야 한다. 그리고 장기적으로는 혹여 변경이 필요한 법규범적 가치가 있다면 그러한 가치를 어떠한 내용으로 설정할 것인지를 고민해야 한다. 바로 이 부분들이 향후 자율주행자동차 입법에 있어 논의될 부분이라고 할 수 있다.

2) 자율주행자동차 입법논의의 현 상황

아직까지 자율주행자동차 도입을 위한 입법이 본격화된 것은 아니지만, 다수의 국가 및 지역에서는 '시험 및 임시운행' 단계의 입법이 완성되었거나 논의되고 있다. 이러한 임시운행 단계의 입법이 이루어지고 있는 이유는 향후 상용화되기 이전에 자율주행자동차의 도로주행 안정성 등을 실험하는 데에 있어 법적 근거가 필요하기 때문이다. 아직까지는 상용화된 자율주행자동차가 없다는 점에서, 세계적으로도 온전한 통상주행(운행) 단계의 입법이 이루어진 국가는 없다.

물론 금명간 자율주행자동차의 통상주행에 관한 입법이 각국에서 이루어질 것이라고 예측해 볼 수 있다. 그런데 앞서 언급했던 IT 기술 발전의 하이프 곡선에서 확인한 바와 같이, 자율주행자동차의 경우에도 인간이 완전히 배제된 완전 자율주행 단계에 이르기까지는 상당 시간이 소요될 것으로 보인다. 따라서 향후 상당 기간 동안은 제한적 자동화(limited self-driving automation) 수준의 자율주행자동차의 통상주행에 관한 논의가 이루어질 것으로 판단된다. 따라서 이에 관한 입법을 위해서는 기술적 발전과 인간의 운전(운행) 개입 필요성에 대한 판단을 세부적으로 수행해야 할 필요가 있다. 그 이유는 기술적 수준에 비추어볼 때 인간의 운행 개입이 필요한 단계라고 한다면, 그 운행과정상의 책임은 상당 부분 운행에 개입한 운전자에게 전가될 수 있기 때문이다.

이와 같은 자율주행자동차 발전 단계와 그에 따른 인간 개입 필요성 여부에 대해서는 다양한 자료들을 참조해 볼 수 있다. 종래 자율주행자동차 기술의 발전 단계에 관해서는 미국 도로교통안전국(National Highway Traffic Safety Administration, NHTSA)의 5단계 모델이 잘 알려져 있다. 미국 도로교통안전국은 "0단계(비자동화, No-Automation) → 1단계(기능 한정적 자동화, Function Specific Automation) → 2단계(기능 결합 자동화, Combined Function Automation) → 3단계(제한적 자율주행 자동화, Limited Self-Driving Automation) → 4단계(완전 자율주행 자동화, Full Self-Driving Automation)" 등으로 구분하여 자율주행자동차의 단계적 기술수준을 제시하고 있다. 이 중 향후 상당 기간 동안 입법상 논의가 지속될 단계는 3단계 수준의 '제한적 자동화' 이전 단계라고 할 수 있다.

자율주행자동차의 자동화 단계에 대한 구분 및 그에 따른 특성에 대해서는 미국 자동차기술협회(Society of Automobile Engineers, SAE)의 6단계 구분도 참조해 볼 수 있다. 미국 자동차기술협회는 자동화의 단계를 총 6단계로 구분하고 있으며, 자율주행시스템이 운전 환경을 모니터하는 단계를 3단계 이상의 경우로 설정하고 있다. 3단계는 '조건적 자동화(conditional automation)' 단계로, 운전 모드를 작동시킨 경우 주행의 모든 부분이 자동화 운전시스템으로 수행되지만, 운행 중 경우에 따라서는 대기하고 있던 운전자의 개입이 필요한 수준을 의미한다. 4단계는 '고도 자동화(high automation)' 단계로, 3단계와 마찬가지로 운전 모드를 작동시킨 경우 주행의 모든 부분이 자동화 운전시스템으로 수행되며, 대기하고 있던 운전자의 개입조차도 거의 필요 없는 수준을 의미한다. 5단계는 '완전 자동화(full automation)'로 항시적으로 사람의 개입 없이 자동화 운전시스템에 의해 주행되는 수준을 의미한다. 〈표 5-1〉을 통해 미국 자동차기술협회가 제시한 단계별 속성에 대해 더욱 구체적으로 확인해 볼 수 있다.

이상과 같은 자율주행자동차의 자동화 단계 중 앞서 언급한 바와 같이 상당 기간 동안은 3단계 및 4단계 수준, 즉 인간의 개입이 일정 부분 필요한 수준에서 자율주행자동차 입법(개선) 논의가 지속될 것으로 보인다.

〈표 5-1〉 미국 자동차기술협회의 자율주행자동차 자동화 수준 6단계

Level	Name	Narrative definition	Execution of steering and acceleration/ deceleration	Monitoring of driving environ-ment	Fallback performance of *dynamic driving task*	System capability (*driving modes*)	BASt level	NHT-SA level
Human driver monitors the driving environment								
0	No Auto-mation	the full-time performance by the *human driver* of all aspects of the *dynamic driving task*, even when enhanced by warning or interven-tion systems	Human driver	Human driver	Human driver	n/a	Driver only	0
1	Driver Assis-tance	the *driving mode*-specific execu-tion by a driver assistance system of either steering or acceleration/ deceleration using information about the driving environment and with the expectation that the *hu-man driver* perform all remaining aspects of the *dynamic driving task*	Human driver and system	Human driver	Human driver	Some driving modes	As-sisted	1
2	Partial Auto-mation	the *driving mode*-specific execution by one or more driver assistance systems of both steering and acceleration/deceleration using information about the driving envi-ronment and with the expectation that the *human driver* perform all remaining aspects of the *dynamic driving task*	**system**	Human driver	Human driver	Some driving modes	Par-tially auto-mated	2
Automated driving system("system") monitors the driving environment								
3	Condi-tional Auto-mation	the *driving mode*-specific perfor-mance by an automated *driving system* of all aspects of the *dy-namic driving task* with the expec-tation that the *human driver* will respond appropriately to a *request to intervene*	system	**system**	Human driver	Some driving modes	Highly auto-mated	3
4	High Auto-mation	the *driving mode*-specific perfor-mance by an *automated driving system* of all aspects of the *dy-namic driving task*, even if a *human driver* does not respond appropri-ately to a *request to intervene*	system	system	**system**	Some driving modes	Fully auto-mated	3/4
5	Full Auto-mation	the full-time performance by an *automated driving system* of all aspects of the *dynamic driving task*, under all roadway and envi-ronmental conditions that can be managed by a *human driver*	system	system	system	**All driving modes**		

* 출처: The Center for Internet and Society at Stanford Law School 웹사이트 (http://cyberlaw.stanford.edu/loda), 최종방문일 2016.7.31.

3) 입법 로드맵의 필요성과 쟁점

자율주행자동차의 상용화는 다양한 사회적 변화를 불러올 것이라고 예견해 볼 수 있지만, 상용화 이후에도 완전 자동화 단계까지 이르는 데에는 상당한 시일이 소요될 것으로 보인다. 따라서 단기적으로 보자면, 행정규제와 관련한 「자동차관리법」, 「도로교통법」, 「도로법」 등에 있어서의 자율주행장치, 운전자 및 운전의 개념 규정 등에 관한 법제 개선 논의,[10] 민사책임과 관련한 「민법」, 「자동차손해배상 보장법」, 「제조물책임법」 등에 있어서의 책임분배에 관한 법제 개선 논의,[11] 형사책임과 관련한 「형법」, 「교통사고처리 특례법」 및 「도로교통법」상 형사처벌 규정상 운전자 개념을 전제로 한 규정들에 관한 법제 개선 논의[12]가 지속될 것으로 예측해 볼 수 있다. 이와 관련하여 특징적인 지점은 전통적인 공법상 규제 및 민형사책임에 관한 논의에 있어 (임베디드)소프트웨어 또는 알고리즘 제조자에 관한 제조물책임[13] 또는 형사책임 부과 가능성에 대한 검토가 진지하게 이루어질 수 있다는 점일 것이다. 그러나 이러한 법제 개선 논의는 인간 운전자가 전제된 상황을 어느 정도 상정하고 있는 제한적 자동화 단계에 관한 것이기 때문에, 근본적인 규제체계의 변화까지는 이르지 못할 것이다.

이와 같은 단기적 규제개선 논의는 장기적인 전망과 결부하여 진행할 필요가 있다. 단기적인 법제 개선 논의를 통해 현실적으로 법 적용상의 문제점들을 개선하는 데에는 무리가 없지만, 그 개선의 결과는 장기적으로 볼 때 완전 자동화 단계에서의 규제 개선과 직접적으로 연결될 가능성이 높기 때문이다. 즉 단기적인 입법 개선은 완전 자동화 단계의 자율주행자동차 규제를 논하기 위한 출발지점이 될 것으로 보인다. 그러나 그렇다고 하여 아직 그 구체적인 기술구현 방식과 방향이 명확하지 않은 상황에서, 이를 예측하여 법적 규제를 설정할 경우에는 자생적인 산업 및 기술 발전을 왜곡시킬 가능성이 높다. 따라서 현 단계에서 예측이 가능한 수준의 장기적 전망의 틀 속에서 단기적인 법제 개선 방안을 강구하는 것이 가장 현실적인 태도라고 할 수 있다. 단기적인 법제 또는 규제 개선 논의에 있어 장기적인 전망을 투영하기 위해서는, 그러한 전망을 사회적으로 공유할 수 있는 입법 로드맵(road map)의 구성 및 제시가 필요하다. 사회적으로 자율주행자동차 기술 및 이를 통해 추구하고자 하는 법규범적 변화 방향을 공유할 수 있을 때, 향후 순차적으로 완전 자동화 단계의 자율주행자동차의 상용화를 안착시킬 수 있을 것이다. 이와 같은 입법 로드맵 구성에 있어서는 다음과 같은 쟁점들에 대한 장기적 전망을 고려할 필요가 있다.

첫째, 사회 구조적인 변화를 고려해야 한다. 자율주행자동차의 도입은 단순히 자동차의 운행 방식 변화만을 의미하는 것은 아니다. 이의 도입으로 인해 직접적으로는 운수업 종사자들 및 이와 연계된 다양한 산업 영역의 변화를 불러올 것이다. 따라서 현실적으로는 기존 이해관계자들과의 이해충돌 해소 방안 마련을 위한 전략이 필요하다. 그렇지 않을 경우 기술적 발전에 대한 사회적 저항, 즉 제2의 러다이트 운동이 발생할 가능성이 높다. 좀

더 거시적으로 보자면, 이러한 이해관계의 충돌 문제는 운수업 종사자들에게만 한정되는 것은 아니다. 최근 논의되고 있는 소위 '공유경제'의 본격적인 출현이 자율주행자동차의 도입으로 인해 가속화될 가능성이 높으며, 따라서 현재의 헌정질서가 상정하고 있는 국가·사회적 분배체계의 전환 및 안착의 문제도 고심할 필요가 있다.

둘째, IT 산업 생태계에 관한 진지한 관심이 필요하다. 앞서 일부 언급했던 바와 같이, 자율주행자동차 기술은 IT 기술과 직접적인 연관성을 가진다. 따라서 안정적인 기술 및 시장 발전을 위해서는 IT 생태계의 변화에 대해서도 진지하게 고려할 필요가 있다. 특히 자율주행자동차 운용의 전제가 되는 네트워크, 플랫폼, 소프트웨어 등 각 사업 영역의 공정한 경쟁을 위한 제도적 토대는 매우 중요하다. 이러한 사업 영역이 특정 사업자들에 의해 독점될 경우 사회적 통제 및 관리가 어려울 수 있기 때문이다. 즉 공정한 경쟁을 토대로 한 기술 및 시장 구조를 구축해 나감으로써, 자율주행자동차의 안정적 발전기반을 마련해야 한다. 현재로서 이와 연관성을 가지는 법률들로는 주로 IT 융합 사안과 연계된 「정보통신망 이용촉진 및 정보보호 등에 관한 법률」, 「전기통신사업법」, 「전파법」, 「소프트웨어산업 진흥법」, 「정보통신 진흥 및 융합 활성화 등에 관한 특별법」, 「산업융합촉진법」 등이 있다.

셋째, 소프트웨어 안전관리 추진체계 구성의 문제를 고려할 필요가 있다. 자율주행자동차에 활용하게 될 소프트웨어 알고리즘이 오류를 가지지고 있는 경우에는 막대한 피해로 발생할 가능성이 높다. 물론 현재도 자율주행자동차의 상용화를 위해 주행 안전성 확보를 위한 실험이 지속적으로 이루어지고 있지만, 문제는 아주 사소한 오류 한 가지라도 생명, 신체, 재산에 중대한 위협을 가중시킬 가능성이 높다는 점이다. 따라서 이를 관리·감독할 수 있는 국가적인 추진체계를 제도화할 필요성이 있다.[14] 물론 산업화 초기인 현재 전통적인 국가 규제방식(인허가 및 행위 규제)으로 이를 관리하고자 하는 것은 과도한 규제로 평가받을 가능성이 크다. 따라서 현재로서는 상시적인 위험관리 차원에서 접근하고, 향후 그 필요성이 극대화된 경우 제도화하는 방인을 고려할 필요가 있다. 구체적인 법제화 방안으로는 자동차 관련 법령에 소프트웨어 관련 규정을 두는 방안이 있을 것이며, 이와 달리 다른 지능정보기술의 활용까지 감안하여 독자적인 소프트웨어 안전관리 법제를 구성하는 방안도 상정해 볼 수 있다.

넷째, 프라이버시(privacy) 보호방안을 제도적으로 모색할 필요가 있다. 현행법상 프라이버시(권) 보호와 직접적인 연계를 가지는 법률들로는 「개인정보 보호법」, 「정보통신망 이용촉진 및 정보보호 등에 관한 법률」, 「위치정보의 보호 및 이용 등에 관한 법률」 등과 같은 개인정보 보호법제들이 있다. 이 법률들은 개인 식별 가능성을 가지는 정보들에 대한 보호를 중심으로 하고 있다. 그러나 현실적으로 자율주행자동차와 연계된 다양한 정보들은 운전자 식별이 전제된 정보보다는 기기간 통신(예. Vehicle-to-Vehicle, V2V)을 주축으로 할 가능성이 높다. 따라서 직접적으로 현행 개인정보 보호법제들이 적용되지 못할 수도 있다. 그러나 차량운행은 물론이고, 운전자의 습성 등에 관한 다양한 정보들이 네트워크를 통해 빈번히 송수신될 것이고, 그 과정에서 빅데이터 분석 등을 통해 특정 개인을 식별화 또는 프로파일링(profiling)할 수 있는 가능성이 높아질 것이다. 따라서 단순한 개인 식별 가능성을 가지는 정보에 대한 보호뿐만 아니라, 운전자 및 탑승자의 사생활 영역과 연계된 프라이버시 보호 방안에 대해 관심을 기울일 필요가 있다.[15]

다섯째, 정보통신망(네트워크)의 안정적 서비스 방안에 대한 고려가 필요하다. 모바일 인터넷이 대중화된 현재 시점에서도 망의 안정적 서비스 문제는 중요한 화두이다. 그런데 자율주행자동차의 운행을 위해서는 매우 많은 양의 데이터 송수신이 요구될 것이고, 그러한 송수신 과정의 안정성 문제는 자율주행자동차의 안전성 문제를 좌우할 수 있을 만큼 중요하다고 할 수 있다. 이는 트래픽 관리 문제를 포괄할 뿐만 아니라, 해킹 등 전자적 침해행위 방지 사안과도 직접적으로 연관된다. 도로 위를 매우 빠른 속도로 운행하고 있는 자동차에 적시에 운행 정보가 전송되지 않을 경우, 더 나아가서 누군가가 의도적으로 오류를 포함한 정보를 전송하는 경우가 발생하게 되면, 이는 대형 사고와 직결될 수 있다. 따라서 이와 연계된 망 중립성, 플랫폼 중립성, 디바이스 중립성 사안은 물론이고, 「정보통신기반보호법」 및 「정보통신망 이용촉진 및 정보보호 등에 관한 법률」상의 정보보호 규정들이 중요한 의미를 가지게 될 것이다.

4) 입법 로드맵 구성 전략

위와 같은 쟁점들을 포함하는 입법 로드맵을 구성함에 있어 반드시 상정해 두어야 할 한 가지 중요한 사실은, 향후 자율주행 자동차의 기술적 발전이 현재로서는 예측할 수 없는 방향으로 이루어질 가능성이 있다는 점이다. 따라서 입법 로드맵을 구성하는 데 있어서도 이러한 불확정성(indeterminacy)을 고려한 전략을 구사할 필요가 있다.[3] 즉 변화를 정확하고 빠르게 수용할 수 있는 입법 로드맵을 구성할 필요가 있다. 이러한 견지에서 입법 로드맵은 다음과 같은 전략적 내용들을 포함하여야 할 것이다.

첫째, 상시적·제도적 영향평가 체계를 구축할 필요가 있다. 입법적 판단에 있어 예측의 문제는 난제 중 하나이다.[4] 따라서 가장 효과적인 방법은 빠르게 입법 소요를 파악하여 대응하기 위해 상시적인 영향평가 체계를 구축하는 것이다. 특히 자율주행자동

---

3) 법철학자 볼킨은 인공지능 기술 등에 관한 규제 상황을 미국의 법현실주의적 사고와 결부하여 설명한다. 즉 그는 법적인 대응에 있어 기술의 본질적인 특성을 전제로 하기보다는 그것이 실제 활용 및 인식되는 방식과 그에 따른 의미에 기반을 두어야 할 필요성을 제기한다. Jack M. Balkin, "The Path of Robotics Law", *California Law Review Circuit 6*, 2015, p.49 이하.

4) 법률이 제정되면 미래에 있어서 작용하고 효과를 발생시키므로, 입법자는 법률의 형태로써 정치적 결정을 내리는 과정에서 법률과 법현실과의 관계에 관한 일정한 예측으로부터 출발한다. 그러나 이러한 예측판단에는 항상 불확실한 요소가 내재되어 있다. 따라서 헌법재판소의 규범심사과정에서 결정의 전제가 되는 중요한 사실관계가 밝혀지지 않는다든지 특히 법률의 효과가 예측되기 어렵다면, 이러한 불확실성이 공익실현을 위하여 국민의 기본권을 침해하는 입법자와 기본권을 침해당하는 국민 중에서 누구의 부담으로 돌아가야 하는가 하는 문제가 제기된다. 헌재 2002. 10. 31. 99헌바76, 2000헌마505(병합).

차 기술의 발전을 정확하게 예측하는 것은 사실상 불가능한데, 대표적으로 수준별 자동화 기술의 실현 시점 등의 판단에 있어 다양한 상황적 변수가 개입할 여지가 크다는 문제점이 있다. 이는 전형적으로 기술의 변화를 규범이 따라가기 힘든 측면이 상존함을 의미한다. 따라서 불확실성에 대비하기 위한 상시적 영향평가 체계를 구축할 필요가 있다. 즉 상시적 · 체계적인 평가를 통해 규제 개선작업을 병행해야 한다. 현재 이와 유사한 영향평가 체계로는 「과학기술기본법」 제14조에 근거한 '기술영향평가' 제도가 있다. 이러한 영향평가는 매우 중요한 의미를 가지지만, 그 현실적인 운용에 있어 일회성 이벤트로 인식되고 있는 경향이 강할 뿐만 아니라, 그러한 영향평가 결과의 정책반영 여부도 불투명한 상황이라고 평가받고 있는 실정이다. 직접적으로 입법과 관련한 영향평가는 국회입법조사처 등이 일부 법률들을 대상으로 시행하고 있지만, 이는 EU, 독일, 스위스 등과 같이 법적 수준으로 제도화되어 있지는 않다.[16]

둘째, 사회적 협의 및 조정 체계의 제도적 기반을 마련할 필요가 있다. 통상적으로 국회 및 정부의 입법과 관련해서는 각종 공청회는 물론이고, 이해당사자 의견 수렴 등이 법령 등을 통해 제도화된 것은 사실이지만, 이러한 제도적 장치들은 다소 형식적으로 운영되고 있다는 것이 일반적인 평가이다.[5)] 그런데 자율주

5) 실제 EU 등지에서 운용되고 있는 영향평가(Impact Assessment)는 의견수렴(consultation)의 결과를 문서화하고 있어, 이 과정에 있어 이해당사자들의 입법적 타협을 이끌어 내는 역할도 일부 수행하고 있다.

행자동차의 상용화는 운수업 종사자들뿐만 아니라 전반적인 사회구조적 차원의 변화까지 불러일으킬 수 있기 때문에, 관련 이해당사자들 간의 의견을 조율할 수 있는 기능은 무엇보다도 중요하다. 전 사회적으로 거시적 변화가 예견되는 만큼 이에 대한 사회적 타협이 요망되며, 이러한 타협이 부재할 경우 자율주행자동차 기술 등이 시장에 안착하는 데 어려움이 뒤따를 것이 명확해 보인다. 사회적 타협은 자율주행자동차 기술의 사회적 수용성을 제고하는 데 있어 크게 기여할 수 있을 것이다. 예를 들어, 완전 자동화 단계의 자율주행자동차가 도입될 경우, 전통 운수사업 종사자들의 생계 등을 고려한 고용승계 방안은 물론이고, 국가적 차원의 복지체계 개선을 위한 제도적인 논의 토대가 필요하다. 물론 이러한 협의 및 조정 체계는 비단 운수사업 영역뿐만 아니라, 사회 전반적인 변화까지도 고려할 수 있는 것이어야 할 것이다.

셋째, 자율주행 기술의 자동화 단계별로 연성법(Soft Law)적 규제방식을 차등화하여 접근할 필요가 있다. 일반적으로 전문적 기술 영역에 관한 규제에 있어서는 전통적인 정부규제 방식은 한계가 있다. 의회가 제정한 법률은 규제의 근거를 제공해 주는데, 이러한 법률들은 입법 이후 변경이 용이하지 않기 때문에 빠른 기술적 변화를 반영하기 힘들다. 오히려 법률상 명시된 규제들로 인해 기술적 발전이 지체되는 경우가 발생하곤 한다. 따라서 전통적인 법률, 즉 경성법(Hard Law)이 아닌 연성법적 접근방식이 전문적인 기술 영역에서는 선호되고 있다.[17] 법률 등을 통해 기술적 기준을 사전에 설정하기보다는, 가급적 당해 영역 관계자들이 자발적으로 구성한 행위 준칙 또는 규약(code of conduct)을 활용하도록 하는 방식이다. 그러나 이러한 연성법적 접근은 자율주행자동차 기술의 자동화 단계에 상응하여 각기 다른 방식을 취할 필요가 있을 것으로 보인다. 그 이유는 장기적 측면에서 볼 때, 상당 기간 동안 각기 다른 자동화 단계 및 수준의 기술을 활용하고 있는 자동차들이 공존하는 상황이 연출될 것이기 때문이다. 따라서 실정법적인 규제뿐만 아니라 연성법적인 규제에 있어서도 자동화 단계 및 수준별로 접근할 수 있도록 해야 할 것이다. 다만 기술 규제적 측면에서 자율성을 일부 허용해 주는 것과 비례하여 사고 및 위험의 발생에 대해서는 엄격한 책임을 부과할 수 있는 민형사 법령체계도 구축해 나갈 필요가 있다.

3. 단계적 · 체계적인 입법 로드맵 구성

자율주행자동차의 상용화는 최근 들어 국내에서 폭발적으로 담론이 증가하고 있는 인공지능 또는 지능정보기술이 일상생활에 미치는 영향을 보여주는 대표적인 사례가 될 것으로 전망되고 있어, 자율주행자동차에 관한 법적 문제에 대한 관심은 그 어느 때보다도 고조되고 있다. 그러나 자율주행자동차에 관한 법적 문제는 과거 여타의 법률 사안과는 달리 매우 신중하고 체계적으로 접근해야 한다. 그 이유는 자율주행자동차 관련 기술의 발전방향과 시기를 정확하게 예측하는 것은 불가능한 반면, 자율주행자동차의 일상화·상용화로 인한 사회적 변화의 폭은 상당히 클 것으로 예상되기 때문이다.

물론 자율주행자동차가 완전 자동화 단계에 이르지 못한 현재의 기술 수준에서는, 자동차 규제와 관련한 일부 법령들을 개선함으로써 규제체계의 정비를 단기적으로 완수할 수 있을 것으로 보인다. 그러나 이렇게 마련될 규제체계는 향후 인간이 배제된 자율주행자동차 관련 규제 논의의 출발점으로서 기능할 수밖에 없을 것이다. 따라서 현재의 관련 규제 개선 논의는 장기적인 전망과 결합하여 진행될 필요가 있다. 이것이 자율주행자동차 입법과 관련하여 주의해야 할 가장 중요한 쟁점이다. 그런데 현재의 입법 담론은 단기적인 입법과제와 장기적인 입법과제가 다소 중첩되어, 매우 복잡한 양상으로 전개되고 있다는 문제가 있다.

이러한 견지에서 이 글은 자율주행자동차 규제 및 입법의 개선에 관한 단계적이고 체계적인 접근을 위하여 입법 로드맵 구성 및 그 전략에 대해 기술하였다. 이러한 입법 로드맵 구성에 있어 무엇보다도 중요한 지점은 자율주행자동차의 상용화와 일상화는 단지 자동차 및 운수 산업에 대한 영향에만 국한되지 않는다는 점이다. 관련 기술의 도입은 사회 구조적인 차원의 변화를 불러일으킬 가능성이 크며, 이러한 이유에서 매우 섬세한 접근이 필요하다. 이는 향후 지능정보기술이 불러일으킬 사회적 변화의 시발점이 될 가능성이 높기 때문이다. 따라서 자율주행자동차에 관한 국가적 차원의 입법을 고민함에 있어서는 과거와 같은 단기적·임기응변적 대응방식은 가급적 지양해야 할 필요가 있다.

곧 전 세계적으로 자율주행자동차의 시험 및 임시운행 단계를 넘어선 통상주행 단계의 입법이 이루어질 것으로 보인다. 물론 현재의 기술적 수준에서 보았을 때, 이는 완전 자동화가 아닌 제한적 자동화를 상정한 입법개선 작업이 될 것이다. 이러한 상황에서 국내 규제가 세계적 규제 동향을 상당 부분 따라갈 수밖에 없을 것임은 충분히 예측할 수 있지만, 그 과정 속에서도 장기적인 전망을 가지고 향후 체계적인 국내 입법이 이루어질 수 있는 방안들을 지속적으로 고민해야 한다. 이와 관련하여, 입법 로드맵의 구성은 관련 규제의 변화 방향성을 수범자들로 하여금 명확하게 인식할 수 있게 해줌으로써 자율주행자동차 기술의 사회적 수용성을 높여주는 데 기여할 것이다.

자율주행자동차 기술을 비롯한 지능정보기술의 발전은 소위 '제4차 산업혁명'이라고 불릴 만한 사회적 변화를 추동할 것이라고 평가받고 있다. 그러나 항상 격변의 시기에는 사회적 불확실성이 증가하고, 이로 인해 다양한 사회적 문제가 불거지곤 했다는 점에 유의해야 한다. 기술적 변화를 사회 및 인간 친화적인 방향으로 안착시킬 수 있는 입법적 지혜가 필요한 시점이다.

주석

1장

1 마르티나 헤슬러, 이덕임 옮김, 『기술의 문화사』(생각의 나무, 2013), 125쪽에서 재인용.

2 지면의 제약으로 이 글에서 한국의 사례는 다루지 않는다. 우리나라 자동차산업의 역사에 대한 간단한 고찰로는 김견, 「자동차산업의 기술능력 발전」, 이근 외, 『한국 산업의 기술능력과 경쟁력』(경문사, 1997), 315-360쪽; 현영석, 『움직이는 생활공간, 자동차』(지성사, 2004), 78-125쪽; 송성수, 「Drive Your Way, 현대자동차」, 『한국 기업의 기술혁신』(생각의 힘, 2014), 50-73쪽 등이 있다.

3 "Prospective Arrangements", *The Times*(4 December 1897), p.13.

4 프리드리히 클렘, 이필렬 옮김, 『기술의 역사』(미래사, 1992), 240쪽에서 재인용.

5 다임러의 생애와 업적에 대해서는 게오르크 에차이트, 「자동차 시대의 문을 연 이상주의자, 고플리프 다임러」, 우베 장 호이저 외 엮음, 이온화 옮김, 『신화가 된 기업가들』(지식의 숲, 2005), 157-166쪽을 참조.

6 벤츠의 생애와 업적에 대해서는 송성수, 『사람의 역사, 기술의 역사』 제2판(부산대학교출판부, 2015), 182-190쪽을 참조.

7 James J. Flink, *The Automobile Age*(Cambridge, MA: MIT Press, 1990), pp.15-19; 쿠르트 뫼저, 김태희 · 추금환 옮김, 『자동차의 역사: 시간과 공간을 바꿔놓은 120년의 이동혁명』(뿌리와 이파리, 2007), 32-35쪽.

8 같은 책, 35-37쪽. 인용은 37쪽.

9 조지 바살라, 김동광 옮김, 『기술의 진화』(까치, 1996), 294쪽.

10 쿠르트 뫼저, 앞의 책, 58쪽에서 재인용.

11 이 단락의 논의는 같은 책, 58-74쪽; 조지 바살라, 앞의 책, 293-303쪽에

입각하고 있다.

12 쿠르트 뫼저, 앞의 책, 72쪽에서 재인용.

13 James J. Flink, *America Adopts the Automobile, 1895-1910*(Cambridge, MA: MIT Press, 1970), pp. 66-70.

14 포드의 일생과 업적에 대해서는 리차드 테들로우, 안진환 옮김, 『사업의 법칙 1: 리더십 · 경영전략 편』(청년정신, 2003), 199-303쪽; 송성수, 『사람의 역사, 기술의 역사』 제2판(부산대학교출판부, 2015), 279-292쪽을 참조.

15 헨리 포드, 공병호 · 송은주 옮김, 『고객을 발명한 사람, 헨리 포드』(21세기북스, 2006), 109쪽.

16 이와 관련하여 David A. Hounshell, *From the American System to Mass Production, 1800-1932: The Development of Manufacturing Technology in the United States*(Baltimore: Johns Hopkins University Press, 1984)는 부품의 호환성을 골자로 하는 미국식 생산체계가 포드주의로 대표되는 대량생산체계로 변천한 과정을 꼼꼼히 추적하고 있다.

17 https://en.wikipedia.org/wiki/History_of_the_automobile.

18 대표적인 예로는 마이클 볼러, 주세페 구차르디, 엔초 리초, 하윤숙 옮김, 『자동차의 역사』(예담, 2007)를 들 수 있는데, 이 책에는 다양한 자동차 모델에 대한 삽화가 풍부히 제시되고 있다.

19 포드주의의 형성과정에 대한 자세한 분석은 Stephen Meyer, Ⅲ, *The Five Dollar Day: Labor Management and Social Control in the Ford Motor Company, 1908-1921*(Albany: State University of New York Press, 1981)을 참조. 이 단락의 논의는 송성수, 「대량생산과 대중소비의 결합, 포드주의」, 이상욱 외, 『욕망하는 테크놀로지: 과학기술학자들, 기술을 성찰하다』(동아시아, 2009), 221-230쪽에 입각하고 있다.

20 Thomas P. Hughes, *American Genesis: A Century of Invention and Technological Enthusiasm*, 2nd ed.(Chicago: The University of Chicago Press, 2004), pp.249-294.

21 스티븐 패리신, 신정관 옮김, 『자동차의 일생: 자동차산업의 역사』(경혜,

2015), 93-94쪽.

22 루스 코완, 김명진 옮김, 『미국 기술의 사회사』(궁리, 2012), 390-391쪽.

23 이 단락의 논의는 제임스 워맥, 다니엘 존스, 다니엘 루스, 현영석 옮김, 『생산방식의 혁명』(기아경제연구소, 1991), 78-81쪽; 홍성욱, 「대량생산은 가라: 도요타의 포스트 포드주의」, 이상욱 외, 『욕망하는 테크놀로지』(동아시아, 2009), 231-240쪽에 입각하고 있다. 『생산방식의 혁명』은 MIT의 경영학자인 워맥 등이 도요타로부터 500만 달러라는 거금을 받고 5년간 연구한 뒤에 1990년에 발간한 〈*The Machine That Changed the World*〉를 우리말로 번역한 것이다.

24 오노 다이이치와 도요타주의에 대해서는 오노 다이이치, 김현영 옮김, 『도요타 생산방식』(미래사, 2004); 미토 세쓰오, 김현영 옮김, 『오노 다이이치와 도요타 생산방식』(미래사, 2004)을 참조.

25 포드주의에서 포스트포드주의로의 전환에 대해서는 Michael J. Piore and Charles F. Sabel, *The Second Industrial Divide: Possibilities for Prosperity*(New York: Basic Books, 1984); 이영희, 『포드주의와 포스트포드주의』(한울, 1994)를 참조.

26 이와 관련하여 유명한 기술사학자인 휴즈(Thomas P. Hughes)는 기술시스템(technological system) 이론을 제창했는데, 이에 대해서는 토머스 휴즈, 「거대 기술시스템의 진화: 전등 및 전력 시스템을 중심으로」, 송성수 편저, 『과학기술은 사회적으로 어떻게 구성되는가』(새물결, 1999), 123-172쪽; 송성수, 「에디슨은 시스템을 구축했다: 기술시스템 이론」, 이상욱 외, 『욕망하는 테크놀로지』(동아시아, 2009), 121-131쪽을 참조.

27 쿠르트 뫼저, 앞의 책, 102쪽.

28 같은 책, 106-107쪽.

29 루스 코완, 앞의 책, 394-395쪽.

30 같은 책, 402-403쪽.

31 Ronald Kline and Trevor Pinch, "Users as Agents of Technological Change: The Social Construction of the Automobiles in the Rural United States", *Technology and Culture*, Vol. 37, No. 4(1996), pp.

763-795.

32 스티븐 패리신, 앞의 책, 106쪽.

33 쿠르트 뫼저, 앞의 책, 111-112쪽.

34 스티븐 패리신, 앞의 책, 107-108쪽.

35 루스 코완, 앞의 책, 401-402쪽.

36 강준만, 『자동차와 민주주의: 자동차는 어떻게 미국과 세계를 움직이는가』(인물과 사상사, 2012), 18-19쪽.

37 같은 책, 406-409쪽.

38 John B. Rae, *The American Automobile Industry*(Boston: Twayne Publishers, 1984), p.134.

39 쿠르트 뫼저, 앞의 책, 296-297쪽.

40 강준만, 앞의 책, 161-165쪽.

41 루스 코완, 앞의 책, 405-406쪽.

42 쿠르트 뫼저, 앞의 책, 307-312쪽.

43 루스 코완, 앞의 책, 415쪽.

44 스티븐 패리신, 앞의 책, 297쪽.

45 루스 코완, 앞의 책, 416쪽.

3장

1 《중앙일보》, 2016. 9. 17. (http://news.joins.com/article/20598449)

2 《조선비즈》, 2016. 7. 14. (http://biz.chosun.com/site/data/html_dir/2016/07/14/2016071402519.html)

3 국토교통부(자동차정책과, 첨단자동차기술과, 자동차운영보험과), 국토교통부(도로정책과, 첨단도로안전과), 경찰청(교통기획과).

4 자동차손해배상보장법 제8조의 의무를 의미함.

5 제3조(자동차손해배상책임) 자기를 위하여 자동차를 운행하는 자는 그 운행으로 다른 사람을 사망하게 하거나 부상하게 한 경우에는 그 손해를 배상할 책임을 진다. 다만, 다음 각 호의 어느 하나에 해당하면 그러하지 아니하다.

1. 승객이 아닌 자가 사망하거나 부상한 경우에 자기와 운전자가 자동차의 운행에 주의를 게을리하지 아니하였고, 피해자 또는 자기 및 운전자 외의 제3자에게 고의 또는 과실이 있으며, 자동차의 구조상의 결함이나 기능상의 장해가 없었다는 것을 증명한 경우
2. 승객이 고의나 자살행위로 사망하거나 부상한 경우

4장

1 정만태, 『로봇산업의 2020 비전과 전략』(KIET 산업연구원, 2007), 1-7쪽.
2 김대식, 「지능형 로봇기술의 발전 현황과 전망」, 윤지영 · 윤정숙 · 임석순 · 김대식 · 김영환 · 오영근, 『법과학을 적용한 형사사법의 선진화 방안(VI)』(한국형사정책연구원, 2015), 23쪽.
3 조인혜, 「2030년 미국 자율주행차 비율 전체의 25% 예상」, 《로봇신문》(2017. 4. 17.자 기사)(http://www.irobotnews.com/news/articleView.html?idxno=10404, 최종방문일 2017. 5. 31.).
4 황상규, 「자율주행자동차의 수용성과 불가역성(不可逆性)」, 《월간교통》 216 (2016.2.), 2-4쪽.
5 김경환, 「자율주행자동차의 입법 동향」, 《오토저널》 38, 6 (한국자동차공학회, 2016), 34쪽.
6 아래 각 단계에 대한 설명은 미국 도로교통안전국에서 2013년에 발표한 자율주행자동차 관련 정책에 관한 보도자료를 참조하였다[https://www.transportation.gov/briefing-room/us-department-transportation-releases-policy-automated-vehicle-development(최종방문일 2017. 5. 31.)].
7 Bryant Walker Smith, "SAE Levels of Driving Automation," http://cyberlaw.stanford.edu/loda(최종방문일 2017. 5. 31.)의 표(Summary of Levels of Driving Automation for On-Road Vehicles)의 일부를 번역하여 옮겼다.
8 구글 및 웨이모의 자율주행자동차 개발 프로젝트 및 사업 전반에 관한 내용은 웨이모 홈페이지(https://waymo.com/journey/)를 참고하라.

9 AP, "California reveals details of self-driving car accidents"(June 18, 2015)(http://www.ap.org/Content/AP-In-The-News/2015/California-reveals-details-of-self-driving-car-accidents, 최종방문일 2017. 5. 31.). 이에 관한 국내 보도는 권오성, 「구글 무인주행차, 접촉사고 11건 있었다는데…」, 《한겨레》(2015. 5. 13.자 기사) (http://www.hani.co.kr/arti/economy/it/691099.html, 최종방문일 2017. 5. 31.)를 참고하라.

10 Justin Pritchard, "Google self-driving car strikes bus on California street"(March 1, 2016)(https://apnews.com/4d764f7fd24e4b0b9164d08a41586d60/google-self-driving-car-strikes-public-bus-california, 최종방문일 2017. 5. 31.) 이에 관한 국내 보도는 권오성, 「구글 자율주행차 자기과실로 '쾅'」, 《한겨레》 (2016. 3. 1.자 기사) (http://www.hani.co.kr/arti/economy/it/732815.html, 최종방문일 2017. 5. 31.)를 참고하라.

11 자율주행자동차 관련 법제도에 관해서는 강선준 · 원유형 · 최진우 · 신용수 · 김재원, 「자율주행자동차의 활성화를 위한 법 · 제도 개선 방안」, 『한국기술혁신학회 2016년도 춘계학술대회 논문집』(2016.5.), 335-355쪽; 이재완, 「자율주행 자동차 국제법규 개발 동향 및 전망」, 『2014 제어로봇시스템학회 합동학술대회 논문집』 (2014), 41-50쪽; 이형범, 「일본의 자율주행자동차 관련 법적 허용성과 민사 · 행정 · 형사책임 연구 동향」, 《월간교통》 215 (2016.1.), 78-83쪽 등을 참고하라.

12 윤지영 등, 앞의 책(주 2), 124쪽.

13 현재 미국의 자율주행자동차 관련 입법 현황은 미국 스탠포드 대학교 인터넷과 사회 센터(The Center of Internet and Society) 홈페이지 [http://cyberlaw.stanford.edu/wiki/index.php/Automated_Driving:_Legislative_and_Regulatory_Action(최종방문일 2017. 5. 31.)]를 참고하라.

14 NAC-482A(https://www.leg.state.nv.us/NAC/NAC-482A.html, 최종방문일 2017. 5. 31.).

15 CS/HB 1207(https://www.flsenate.gov/Session/Bill/2012/1207, 최

종방문일 2017. 5. 31.).

16 SB-1298(https://leginfo.legislature.ca.gov/faces/billNavClient.xhtml?bill_id=201120120SB1298, 최종방문일 2017. 5. 31.).

17 B19-931(http://www.legislature.mi.gov/(S(r33h5t211cnu2ft0pkpblbkf))/mileg.aspx?page=getobject&objectname=2013-SB-0169&query=on, 최종방문일 2017. 5. 31.).

18 Autonomous Vehicle Act of 2012(http://dcclims1.dccouncil.us/lims/legislation.aspx?LegNo=B19-0931, 최종방문일 2017. 5 .31.)

19 HB 1065(http://www.legis.nd.gov/assembly/64-2015/documents/15-0167-01000.pdf, 최종방문일 2017. 5. 31.).

20 HB 1564(http://wapp.capitol.tn.gov/apps/BillInfo/default.aspx?BillNumber=SB1561&GA=109, 최종방문일 2017. 5. 31.).

21 HB 373; HB 280 (http://le.utah.gov/~2016/bills/static/HB0280.html, 최종방문일 2017. 5. 31.).

22 국토교통위원장, 「자동차관리법 일부개정법률안(대안)」(의안번호 제1916004호, 2015.7. 제안), 4면.

23 김두원, 「자율주행자동차 관리 및 교통사고에 대한 형사책임」, 《법학논문집》 39.3 (중앙대학교 법학연구원, 2015), 251쪽.

24 김두원, 앞의 글(주 23), 259쪽.

25 김두원, 앞의 글(주 23), 261쪽.

26 이재상 · 장영민 · 강동범, 『형법총론』 제8판 (박영사, 2015), 281쪽.

27 오영근, 「지능형 로봇기술 상용화와 형사정책적 대응」, 윤지영 등, 『법과학을 적용한 형사사법의 선진화 방안(Ⅵ)』(한국형사정책연구원, 2015), 373쪽.

28 이종영 · 김정임, 「자율주행자동차 운행의 법적 문제」, 《중앙법학》 17.2 (2015), 167쪽.

29 오영근, 앞의 글(주 27), 373쪽.

30 오영근, 앞의 글(주 27), 373쪽.

31 Ulfid Neumann, 「형법적 긴급피난 문제로서 손해를 감소시키는 자율적 자동차의 방향전환」(한국형사정책연구원 세미나 발표자료, 2015. 10.

17), 14~22면.

32 Andreas Matthias, "The responsibility gap: Ascribing responsibility for the actions of learning automata," *Ethics and Information Technology* 6 (2004), pp.175-176.

33 Andreas Matthias, *Automaten als Träger von Rechten* (Logos, 2008).

34 Matthias, 앞의 책(주 33), p.255 [김영환, "로봇 형법(Strafrecht für Roboter)?",《법철학연구》19.3 (2016), 162쪽 재인용].

35 H. L. A. Hart, "The ascription of responsibility and rights," *Proceedings of the Aristotelian Society*. New Series, 49 (1948-1949), pp.171-172.

36 로봇 형법에 관한 논의를 정리한 국내 문헌으로는 김영환, "로봇 형법(Strafrecht für Roboter)?",《법철학연구》19.3 (2016), 143-168쪽 ; 임석순, "형법상 인공지능의 책임귀속",《형사정책연구》27.4 (2016), 69-91쪽 등이 있다.

37 Walter Woodburn Hyde, "The prosecution and punishment of animals and lifeless things in the Middle Ages and modern times," *University of Pennsylvania Law Review and American Law Register* 64.7 (1916), p.710.

38 Sascha Ziemann, "Wesen, Wesen, seid's gewesen? Zur Diskussion über ein Strafrecht für Maschinen," in: Eric Hilgendorf/Jan-Philipp Günther(Hrsg.), *Robotik und Gesetzgebung* (Nomos, 2013), p.187 [김영환, 앞의 글(주 36), 149-150쪽 재인용].

39 이재상 등, 앞의 책(주 26), 49-51쪽.

40 Eric Hilgendorf, "Köonnen Roboter schuldhaft handeln?" in: Susanne Beck(Hrsg.), *Jenseits von Mensch und Maschine. Ethische und rechtliche Fragen zum Umgang mit Robotern, Kunstlicher Intelligenz und Cyborgs* (Nomos, 2012), p.119 [김영환, 앞의 글(주 36), 54쪽 재인용].

41 김영환, 앞의 글(주 36), 160쪽.

42 Mitthias, 앞의 책(주 33), p.255 [김영환, 앞의 글(주 36), 162쪽 재인용].

43 김영환, 앞의 글(주 36), 163쪽.
44 김영환, 앞의 글(주 36), 163쪽.
45 임석순, 앞의 글(주 36), 86쪽.
46 임석순, 앞의 글(주 36), 87쪽.

5장

1 이러한 인공지능 및 지능정보기술의 법규범적 측면에서의 분석으로는 심우민, 「이행기 IT법학의 구조와 쟁점: 가상현실과 인공지능의 영향을 중심으로」, 《언론과 법》 제15권 제1호(한국언론법학회, 2016), 191~194쪽.
2 황창근, 「자율주행자동차 운행을 위한 행정규제의 개선쟁점 – 자동차 운행의 3요소를 중심으로」, 《한국인터넷법학회 2016년 춘계학술대회: 자율주행자동차의 법률적 쟁점》(한국인터넷법학회, 2016), 6~7쪽; 황창근 · 이중기, 「자율주행자동차 운행을 위한 행정규제 개선의 시론적 고찰」, 《홍익법학》 제17권 제2호(홍익대학교 법학연구소, 2016) 등 참조.
3 이에 관한 개괄적 논의에 대해서는 심우민, 『정보사회 법적규제의 진화』(한국학술정보, 2008), 29쪽 이하.
4 소통적 규범형성의 배경이론에 대해서는 김정오 · 심우민, 「현대적 입법정책결정의 배경이론 모색: 사회적 구성주의 이론 도입을 중심으로」, 《법학연구》 제26권 제2호(연세대학교 법학연구원, 2016) 참조.
5 이러한 아키텍처적 속성에 관해 가장 선도적으로 인식한 IT 법학자들로는 라이덴버그와 레식이 있다. Joel R. Reidenberg, "Lex Informatica: The Formulation on Information Policy Rules in Cyberspace through Technology", *Texas Law Review* 76, 1998; Lawrence Lessig, Code and Other Laws of Cyberspace(Basic Books, 1999). 라이덴버그는 "정보법(Lex informatica)", 레식은 "코드(Code)"라는 표현으로 이를 묘사한다. 또한 아키텍처 규제의 특성에 관한 설명으로는 Lee Tein, "Architectural Regulation and the Evolution of Social Norms", *Yale Journal of Law and Technology* 7(1), 2005 참고.
6 Tim O'Reilly, "Open Data and Algorithmic Regulation" in Brett

Goldstein & Lauren Dyson(ed.), *Beyond Transparency: Open Data and the Future of Civic Innovation*(Code for America Press, 2013), p.289 이하.

7 이에 관한 설명은 심우민, 앞의 논문, 194쪽 이하.

8 이러한 레이어 모델에 관한 설명은 심우민, 「정보통신법제의 최근 입법동향: 정부의 규제 개선방안과 제19대 국회 전반기 법률안 중심으로」, 《언론과 법》 제13권 제1호(한국언론법학회, 2014), 92쪽 이하.

9 이러한 AMA와 관련한 문제점들을 분석하고 있는 문헌으로는 웬델 월러치 · 콜린 알렌. 노태복 옮김, 『왜 로봇의 도덕인가』(메디치, 2014) 참고.

10 이에 관한 내용에 대해서는 황창근 · 이중기, 「자율주행자동차 운행을 위한 행정규제 개선의 시론적 고찰」, 《홍익법학》 제17권 제2호(홍익대학교 법학연구소, 2016) 참조.

11 최경진, 「자율주행자동차의 사법상 책임」, 《한국인터넷법학회 2016년 춘계학술대회: 자율주행자동차의 법률적 쟁점》(한국인터넷법학회, 2016), 30쪽 이하 참조.

12 윤지영 외, 『법과학을 적용한 형사사법의 선진화 방안(VI)(연구총서 15-B-16)』(한국형사정책연구원, 2015), 335쪽 이하.

13 이에 관한 논의로는 이상수, 「임베디드 소프트웨어의 결함과 제조물책임 적용에 관한 고찰」, 《법학논문집》 제39집 제2호(중앙대학교 법학연구원, 2015) 참조.

14 박태형 외, 『SW안전 체계 확보와 중점 추진과제(SPRi Issue Report 2015-0228)』(소프트웨어정책연구소, 2016).

15 이와 관련해서는 최근 최종적으로 입법이 확정된 EU, General Data Protection Regulation(REGULATION (EU) 2016/679 OF THE EUROPEAN PARLIAMENT AND OF THE COUNCIL), 2016.4.27상의 프라이버시 중심 설계(Privacy by Design) 및 프로파일링(Profiling) 금지 규정 등을 참조해 볼 수 있다.

16 입법영향분석 또는 입법평가에 관한 개괄적인 설명은 심우민, 『입법학의 기본관점: 입법논증론의 함의와 응용』(서강대학교 출판부, 2014), 295쪽 이하 참고.

17 사물인터넷 규제와 관련하여 이러한 속성에 대해 명확히 설명하고 있는 보고서로는 "European Commission, Europe's Policy Options for a dynamic and Trustworthy Development of the Internet of Things", 2013, 20면.

참고문헌

1장

강준만. 『자동차와 민주주의: 자동차는 어떻게 미국과 세계를 움직이는가』. 인물과 사상사, 2012.

데이비드 에저턴. 정동욱 · 박민아 옮김. 『낡고 오래된 것들의 세계사』. 휴먼사이언스, 2015.

루스 코완. 김명진 옮김. 『미국 기술의 사회사』. 궁리, 2012.

마르티나 헤슬러. 이덕임 옮김. 『기술의 문화사』. 생각의 나무, 2013.

마이클 볼러 · 주세페 구차르드디 · 엔초 리초. 하윤숙 옮김. 『자동차의 역사』. 예담, 2007.

베른트 슈. 이온화 옮김.『클라시커 50: 발명』. 해냄, 2004.

송성수. 「대량생산과 대중소비의 결합, 포드주의」. 이상욱 외. 『욕망하는 테크놀로지: 과학기술학자들, 기술을 성찰하다』. 동아시아, 2009.

스티븐 패리신. 신정관 옮김. 『자동차의 일생: 자동차산업의 역사』. 경혜, 2015.

제임스 워맥 · 다니엘 존스 · 다니엘 루스. 현영석 옮김. 『생산방식의 혁명』. 기아경제연구소, 1991.

조지 바살라. 김동광 옮김. 『기술의 진화』. 까치, 1996.

케이티 앨버드. 박웅희 옮김. 『당신의 차와 이혼하라』. 돌베개, 2004.

쿠르트 뫼저. 김태희 · 추금환 옮김. 『자동차의 역사: 시간과 공간을 바꿔놓은 120년의 이동혁명』. 뿌리와 이파리, 2007.

프리드리히 클렘. 이필렬 옮김. 『기술의 역사』. 미래사, 1992,

헨리 포드. 공병호 · 송은주 옮김. 『고객을 발명한 사람, 헨리 포드』. 21세기북스, 2006.

홍성욱. 「대량생산은 가라: 도요타의 포스트 포드주의」. 이상욱 외. 『욕망하는 테크놀로지』. 동아시아, 2009.

James J. Flink. *America Adopts the Automobile*, 1895–1910. Cambridge, MA: MIT Press, 1970.
James J. Flink. *The Car Culture*. Cambridge, MA: MIT Press, 1975.
John B. Rae. *The American Automobile Industry*. Boston: Twayne Publishers, 1984.
Ronald Kline and Trevor Pinch. "Users as Agents of Technological Change: The Social Construction of the Automobiles in the Rural United States". *Technology and Culture* 37(4), 1996. pp.763–795.
Thomas P. Hughes. *American Genesis: A Century of Invention and Technological Enthusiasm*. 2nd ed. Chicago: The University of Chicago Press, 2004.

3장

김경환. "자율주행차 사회의 법적 과제, 정책토론회 미래혁명! 자율주행시대 해법은?" 2016.

Bernard C. Soriano. Autonomous Vehicles in California. 2016. 1.
California DMV. Express Term. 2016. 9.
California DMV. Express Term. 2017. 3.
Department for Transport. The Pathway to Driverless Cars. 2015. 6.
FranÇoise Gilbert & Raffaele Zallone. Connected cars – Recent Legal Developments. We Robot (2016)
Julie L. Jones. FLA. Highway Safety & Motor Vehicles. Autonomous Vehicle Report 5 (2014)
Mobility Forum. Regulatory Needs for Vehicle and Road Automation. European Commission. 2015. 3.
NHTSA. Federal Automated Vehicles Policy. 2016. 9.
Ryan Jenkins. *Autonomous Vehicles Ethics & Law: Towards an Overlapping Consensus*. New America. 2016. 9.

Tom M. Gasser. Legal consequences of an increase in vehicle automation. Bundesanstalt für Straßenwesen. 2016.

4장

강선준 · 원유형 · 최진우 · 신용수 · 김재원. "자율주행자동차의 활성화를 위한 법 · 제도 개선 방안." 『한국기술혁신학회 2016년도 춘계학술대회 논문집』, 2016.5.
국토교통위원장, 「자동차관리법 일부개정법률안(대안)」(의안번호 제1916004호, 2015.7. 제안)
김경환. 「자율주행자동차의 입법 동향」. 《오토저널》 38권 6호. 한국자동차공학회, 2016.
김두원. 「자율주행자동차 관리 및 교통사고에 대한 형사책임」. 《법학논문집》 39권 3호. 중앙대학교 법학연구원, 2015.
김영상 · 유성민. 「지능형자동차산업동향 분석」. 《한국정보기술학회지》 14권 1호. 한국정보기술학회, 2016.
김영환. 「로봇 형법(Strafrecht für Roboter)?」. 《법철학연구》 19권 3호. 한국법철학회 2016.
김용석. "안전하고 편리한 자율주행자동차 시대를 열겠습니다: 자율주행자동차 상용화 지원방안." 《교통기술과 정책》 12권 3호. 대한교통학회, 2015.
김찬수 · 임원택 · 이민철. 「자율주행 자동차가 실현되는 그날까지」. 《오토저널》 35권 12호. 한국자동차공학회, 2013.
박태준 · 조태훈. 「무인 자율주행 자동차를 위한 횡단보도 인식에 대한 연구」. 『한국지능시스템학회 20주년 기념 2010년도 추계학술대회 학술발표논문집』 제20권, 제2호. 한국지능시스템학회, 2010.
박태준 · 조태훈. 「무인 자율 주행 자동차를 위한 횡단보도 및 정지선 인식 시스템」. 『한국지능시스템학회 논문집』 제22권 제2호. 한국지능시스템학회, 2012.
백두환. 「한국포스트휴먼학회 콜로키움 참관기」. 《철학과 현실》, 2015.

백두환. 「한국포스트휴먼학회 콜로키움 참관기」. 《철학과 현실》, 2016.
서인수. 「미래 교통수단으로의 자율주행 자동차: 도전과 기회」. 『2012년 한국 ITS 춘계학술대회 논문집』, 2012.
유수정 · 이동휘 · 김회원 · 주건엽 · 고봉철. 「자율주행을 위한 충돌 위험도 반영 Local Path Planning」. 『한국자동차공학회 2015 KSAE 부문 종합학술대회 자료집』, 2015.
윤복중 · 김정하. 「첨단 자동차 연구개발의 기술 동향」. 《제어로봇시스템학회지》 18권 2호. 제어로봇시스템학회, 2012.
윤지영 · 윤정숙 · 임석순 · 김대식 · 김영환 · 오영근. 『법과학을 적용한 형사사법의 선진화 방안(Ⅵ)』. 한국형사정책연구원, 2015.
이기영. 「자율주행 시대를 대비한 도로의 역할」. 《한국통신학회지(정보와 통신)》 33권 4호. 한국정보통신학회, 2016.
이명수. 「자율주행자동차의 국제안전기준 개발 동향」. 《오토저널》 38권 6호. 한국자동차공학회, 2016.
이재관. 「자율주행 자동차 개발현황 및 시사점」. 《전자공학회》 41권 1호. 대한전자공학회, 2014. .
이재상 · 장영민 · 강동범. 『형법총론』 제8판. 박영사, 2015.
이재완. 「자율주행 자동차 국제법규 개발 동향 및 전망」. 『2014 제어로봇시스템학회 합동학술대회 논문집』, 2014.
이종관. 「포스트휴먼을 향한 인간의 미래?」. *FUTURE HORIZON* 26권. 과학기술정책연구원, 2015.
이종덕. 「자율주행자동차의 개발동향」. *ITS Breif* 35권. 2015.
이종영 · 김정임. 「자율주행자동차 운행의 법적 문제」. 《중앙법학》 17권 2호. 중앙법학회, 2015.
이지인 · 임채린 · 김나은 · 김진우. 「근거 이론을 적용한 자율주행 자동차 환경에서의 운전자 경험 연구.」 『PROCEEDINGS OF HCI KOREA 2016 학술대회 발표 논문집』, 2016.1.
이형범. 「[해외통신원 소식] 일본의 자율주행 자동차 실용화 동향」. 《월간교통》 206, 2015.4.
이형범. 「일본의 자율주행자동차 관련 법적 허용성과 민사 · 행정 · 형사책임

연구 동향」. 《월간교통》 215, 2016.1.

임석순. 「형법상 인공지능의 책임귀속」. 《형사정책연구》 27권 4호, 한국형사정책연구원, 2016.

정만태. 『로봇산업의 2020 비전과 전략』. KIET 산업연구원, 2007.

정민우. 「무인자동차의 자율주행에 관한 연구」, 석사학위논문, 계명대학교, 2014.

최남호 · 김효창 · 최종규 · 지용구. 「미래형 자율주행 자동차의 정책수립을 위한 연구」, 《대한산업공학회지》 41권 1호. 대한산업공학회, 2015.

최인성. 「자율주행자동차 관련 법제도 현황 검토」, 《오토저널》 38권 6호. 한국자동차공학회, 2016.

최인성. 「자율주행자동차 안전성 관련 이슈와 동향 분석」, 《오토저널》 38권 2호. 한국자동차공학회, 2016.

최인성. 「자율주행자동차 관련 법제도 현황 검토」. 《오토저널》 38권 6호. 한국자동차공학회, 2016.

최인성 · 민경찬 · 홍윤석 · 김규현. 「자율주행자동차 도로운행 관련 국내외 법규 현황」, 『한국자동차공학회 2015 KSAE 부문 종합학술대회 자료집』, 2015.

홍윤석. 「자율주행자동차 관련 정책 및 전망」, *ITS Breif* 37, 2016.

홍윤석. 「자율주행자동차의 기능 및 안전성 평가 방안」, 《월간교통》 213, 2015.11.

황상규. 「자율주행자동차의 수용성과 불가역성(不可逆性)」, 《월간교통》 216, 2016.2.

Hart, Herbert Lionel Adolphus. "The ascription of responsibility and rights." *Proceedings of the Aristotelian Society*. New Series, 49, 1948-1949.

Hyde, Walter Woodburn. "The prosecution and punishment of animals and lifeless things in the Middle Ages and modern times," *University of Pennsylvania Law Review and American Law Register* 64(7), 1916.

Matthias, Andreas. "The responsibility gap: Ascribing responsibility for the actions of learning automata." *Ethics and Information Technology* 6, 2004.

Matthias, Andreas. *Automaten als Träger von Rechten*. Berlin: Logos, 2008.

Neumann, Ulfid.「형법적 긴급피난 문제로서 손해를 감소시키는 자율적 자동차의 방향전환」. 한국형사정책연구원 세미나 발표자료, 2015. 10. 17.

The Center for Internet and Society at Stanford Law School 웹사이트 (http://cyberlaw.stanford.edu/loda, 최종방문일 2017. 5. 31.).

Walter Woodburn Hyde, "The prosecution and punishment of animals and lifeless things in the Middle Ages and modern times," *University of Pennsylvania Law Review and American Law Register* 64(7), 1916.

5장

김정오 · 심우민.「현대적 입법정책결정의 배경이론 모색: 사회적 구성주의 이론 도입을 중심으로」.《법학연구》제26권 제2호. 연세대학교 법학연구원, 2016.

박태형 외.『SW안전 체계 확보와 중점 추진과제(SPRi Issue Report 2015-022호)』. 소프트웨어정책연구소, 2016.

심우민.「이행기 IT법학의 구조와 쟁점: 가상현실과 인공지능의 영향을 중심으로」.《언론과 법》제15권 제1호. 한국언론법학회, 2016.

심우민.「정보통신법제의 최근 입법동향: 정부의 규제 개선방안과 제19대 국회 전반기 법률안 중심으로」.《언론과 법》제13권 제1호. 한국언론법학회, 2014.

심우민.『입법학의 기본관점: 입법논증론의 함의와 응용』. 서강대학교 출판부, 2014.

심우민.『정보사회 법적규제의 진화』. 한국학술정보, 2008.

웬델 월러치 · 콜린 알렌. 노태복 옮김.『왜 로봇의 도덕인가』. 메디치, 2014 참고.

윤지영 외.『법과학을 적용한 형사사법의 선진화 방안(VI)(연구총서 15-B-

16)』. 한국형사정책연구원, 2015.
이상수. 「임베디드 소프트웨어의 결함과 제조물책임 적용에 관한 고찰」. 《법학논문집》 제39집 제2호. 중앙대학교 법학연구원, 2015.
최경진. 자율주행자동차의 사법상 책임」. 《한국인터넷법학회 2016년 춘계학술대회: 자율주행자동차의 법률적 쟁점》. 한국인터넷법학회, 2016.
헌재 2002. 10. 31. 99헌바76, 2000헌마505(병합).
황창근. 「자율주행자동차 운행을 위한 행정규제의 개선쟁점-자동차 운행의 3요소를 중심으로」. 《한국인터넷법학회 2016년 춘계학술대회: 자율주행자동차의 법률적 쟁점》. 한국인터넷법학회, 2016.
황창근 · 이중기. 「자율주행자동차 운행을 위한 행정규제 개선의 시론적 고찰」. 《홍익법학》 제17권 제2호. 홍익대학교 법학연구소, 2016.

Balkin, Jack M. "The Path of Robotics Law". *California Law Review Circuit* 6, 2015.
Edmonds, David. *Would You Kill the Fat Man?: The Trolley Problem and What Your Answer Tells Us about Right and Wrong*. Princeton University Press, 2015.
EU. General Data Protection Regulation(REGULATION (EU) 2016/679 OF THE EUROPEAN PARLIAMENT AND OF THE COUNCIL), 2016.4.27
European Commission. *Europe's Policy Options for a dynamic and Trustworthy Development of the Internet of Things*, 2013.
Lessig, Lawrence. *Code and Other Laws of Cyberspace*. Basic Books, 1999.
O'Reilly, Tim. "Open Data and Algorithmic Regulation" in Brett Goldstein & Lauren Dyson(ed.). *Beyond Transparency: Open Data and the Future of Civic Innovation*. Code for America Press, 2013.
Reidenberg, Joel R. "Lex Informatica: The Formulation on Information Policy Rules in Cyberspace through Technology". *Texas Law Review* 76, 1998.

Tein, Lee. "Architectural Regulation and the Evolution of Social Norms". *Yale Journal of Law and Technology* 7(1), 2005.
Winter, Steven L. *A Clearing in the Forest: Law, Life, and the Mind*. University of Chicago Press, 2003.

The Center for Internet and Society at Stanford Law School 웹사이트 (http://cyberlaw.stanford.edu/loda), 최종방문일 2016.7.31.

찾아보기

기타

인명

강태경

한국형사정책연구원 부연구위원

서울대학교 심리학과와 법학과에서 각각 학사 · 석사과정을 마친 후 법철학으로 법학박사학위를 받았다. 현재 한국형사정책연구원에서 형사 및 인권 정책 관련 기초연구를 진행하고 있다. 주요 관심사는 법이념과 법개념의 상호관계, 법의식, 인지과학과 법, 법학 연구방법론으로서의 규범적 방법과 경험적 방법의 통합 등이다. 저서로 『몸과 인지』(공저)가 있고, 논문으로 「인지적 범주화 과정으로서의 법적 추론」, 「법적 추론에 대한 비판적 분석으로서의 인지적 분석: 성전환자의 공부상 성별 정정 사건을 중심으로」 등이 있다.

김경환

법무법인 민후 대표변호사

서울대 공대 전자공학과에서 학사 · 석사를 마친 후 사법시험에 합격하여, 현재 법무법인 민후 대표변호사를 역임하고 있으며, IT와 관련된 법적 이슈, IT가 가져올 미래사회의 변화, IT와 관련된 규제 등에 대하여 관심이 많이 이런 문제를 법적으로 해결하는 데 주력하고 있다. 숭실사이버대학교 외래교수, 산업기술분쟁조정위원회 조정위원, 온라인광고분쟁조정위원회 조정위원, 개인정보분쟁조정위원회 조정위원, 방송통신위원회 법령자문위원, 국토교통부 자율주행차 융 · 복합 미래포럼 인문 · 사회분과 전문위원, 공정거래위원회 기업거래정책 자문위원, 지식재산위원회 해외진출 중소기업 IP전략지원 특별전문위원회 전문위원 등도 역임하고 있다.

김정하

국민대학교 자동차융합대학장

Univ. of Pennsylvania에서 로보틱스 전공 박사학위를 받았다. 이후 POSTEC에서 박사후과정을 거치고 1998년부터 국민대학교 교수로 재직 중이다. 자율주행 플랫폼 및 무인자동차 연구를 시작으로 국민대학교 무인차량연구실을 개설하고 자율주행 알고리즘과 자율주행차량 개발의 외길만 고집하고 있다. 2008년 자율주행 솔루션 및 플랫폼 개발을 위한 벤처 ㈜언맨드솔루션을 창립하고 국내 자율주행 플랫폼 지원 및 솔루션 개발의 지원을 아끼지 않고 있다. 2009년 국민대학교 자동차기술연구소 소장을 거쳐 2013년 재단법인 차세대융합기술연구원 특임연구위원을 거쳐 2016년 국민대학교 자동차융합대학장직을 맡고 있다.

송성수

부산대학교 물리교육과 교수

서울대학교 무기재료공학과를 졸업한 뒤 서울대학교 대학원 과학사 및 과학철학 협동과정에서 석사학위와 박사학위를 받았다. 한국산업기술평가원(ITEP) 연구원, 과학기술정책연구원(STEPI) 부연구위원, 부산대학교 교양교육원 교수를 거쳤다. 현재 부산대학교 물리교육과 교수로 재직 중이며, 한국과학기술학회 회장과 부산대학교 대학원 기술사업정책전공 전공주임을 맡고 있다. 저서로는 『우리에게 기술이란 무엇인가』(편저), 『과학기술은 사회적으로 어떻게 구성되는가』(편저), 『소리 없이 세상을 움직인다, 철강』, 『과학기술과 문화가 만날 때』, 『과학기술과 사회의 접점을 찾아서』, 『과학기술로 세상 바로 읽기』(공저), 『사람의 역사, 기술의 역사』, 『한 권으로 보는 인물과학사』, 『과학의 본성과 과학철학』 등이 있다.

심우민

국회입법조사처 입법조사관

2011년 연세대학교 대학원에서 박사학위를 수여받은 이후 줄곧 국회입법조사처 입법조사관으로서 입법학과 IT 법학을 실천적으로 접목시키기 위한 연구를 지속해 오고 있다. 주요 경력으로는 연세대학교 법학연구원 전문연구원, 서울대학교 의료정책실 연구원, 서울시립대 · 강원대 · 광운대 · 덕성여대 시간강사, 법과사회이론학회 총무이사, 사이버커뮤니케이션학회 연구이사, (전)한국법철학회 총무간사, (전)한국헌법학회 섭외간사 등을 역임하였다. 주요 저서로는 『정보사회 법적규제의 진화』, 『입법절차와 사법절차』(공저), The Rationality and Justification of Legislation(공저), 『입법학의 기본관점』 등이 있으며, 주요 논문으로는 「네트워크 정치와 헌법정치」, 「SNS 선거운동 규제의 입법정책결정론적 검토」, 「스마트 시대의 개인정보보호 입법전략」, 「정보통신법제의 최근 입법동향」, 「사물인터넷 개인정보보호의 입법정책」, 「이행기 IT법학의 구조와 쟁점」, 「인공지능의 발전과 알고리즘의 규제적 속성」 외 다수의 논문을 출간하였다.

이 책은 대우재단의 저술 지원에 의해 발간된 것임.

포스트휴먼사이언스 02

포스트휴먼 시대를 달리는 자율주행자동차 – 입법전략

1판 1쇄 찍음 | 2017년 8월 7일
1판 1쇄 펴냄 | 2017년 8월 17일

편 자 | 한국포스트휴먼연구소 · 한국포스트휴먼학회
펴낸이 | 김정호
펴낸곳 | 아카넷

출판등록 | 2000년 1월 24일(제406-2000-000012호)
주소 | 10881 경기도 파주시 회동길 445-3
전화 | 031-955-9511(편집) · 031-955-9514(주문) 팩시밀리 | 031-955-9519
www.acanet.co.kr | www.phildam.net

Printed in Seoul, Korea.

ISBN 978-89-5733-561-1 94360
ISBN 978-89-5733-524-6 (세트)

이 도서의 국립중앙도서관 출판예정도서목록(CIP)은 서지정보유통지원시스템 홈페이지(http://seoji.nl.go.kr)와 국가자료공동목록시스템(http://www.nl.go.kr/kolisnet)에서 이용하실 수 있습니다.(CIP제어번호: CIP2017017884)